O COMPADRE
DE OGUM

COLEÇÃO JORGE AMADO
Conselho editorial
Alberto da Costa e Silva
Lilia Moritz Schwarcz

Coordenação editorial
Thyago Nogueira

O país do Carnaval, 1931
Cacau, 1933
Suor, 1934
Jubiabá, 1935
Mar morto, 1936
Capitães da Areia, 1937
ABC de Castro Alves, 1941
O Cavaleiro da Esperança, 1942
Terras do sem-fim, 1943
São Jorge dos Ilhéus, 1944
Bahia de Todos-os-Santos, 1945
Seara vermelha, 1946
O amor do soldado, 1947
Os subterrâneos da liberdade
    Os ásperos tempos, 1954
    Agonia da noite, 1954
    A luz no túnel, 1954
Gabriela, cravo e canela, 1958
De como o mulato Porciúncula descarregou seu defunto, 1959
Os velhos marinheiros ou O capitão-de-longo-curso, 1961
A morte e a morte de Quincas Berro Dágua, 1961
O compadre de Ogum, 1964
Os pastores da noite, 1964
As mortes e o triunfo de Rosalinda, 1965
Dona Flor e seus dois maridos, 1966
Tenda dos Milagres, 1969
Tereza Batista cansada de guerra, 1972
O gato malhado e a andorinha Sinhá, 1976
Tieta do Agreste, 1977
Farda, fardão, camisola de dormir, 1979
O milagre dos pássaros, 1979
O menino grapiúna, 1981
A bola e o goleiro, 1984
Tocaia Grande, 1984
O sumiço da santa, 1988
Navegação de cabotagem, 1992
A descoberta da América pelos turcos, 1992
Hora da Guerra, 2008

JORGE AMADO

O COMPADRE DE OGUM

Posfácio de
Reginaldo Prandi

Copyright © 2012 by Grapiúna Produções Artísticas Ltda.
1ª edição, Record, Rio de Janeiro, 1991

O compadre de Ogum é uma das narrativas do livro *Os pastores da noite*.

Grafia atualizada segundo o Acordo Ortográfico da Língua Portuguesa de 1990, que entrou em vigor no Brasil em 2009.

Consultoria da coleção Ilana Seltzer Goldstein

Projeto gráfico Kiko Farkas/ Máquina Estúdio

Ilustração de capa Kiko Farkas/ Máquina Estúdio

Cronologia Ilana Seltzer Goldstein e Carla Delgado de Souza

Preparação Cecília Ramos

Revisão Adriana Cristina Bairrada e Camila Saraiva

Texto estabelecido a partir dos originais revistos pelo autor. Os personagens e as situações desta obra são reais apenas no universo da ficção; não se referem a pessoas e fatos concretos, e não emitem opinião sobre eles.

Dados Internacionais de Catalogação na Publicação (CIP)
(Câmara Brasileira do Livro, SP, Brasil)

Amado, Jorge, 1912-2001.
O compadre de Ogum / Jorge Amado ; posfácio de Reginaldo Prandi. — 1ª ed. — São Paulo : Companhia das Letras, 2012.

ISBN 978-85-359-2062-2

1. Ficção brasileira I. Prandi, Reginaldo. II. Título.

12-03404   CDD-869.93

Índice para catálogo sistemático:
1. Ficção : Literatura brasileira   869.93

2ª reimpressão

[2021]
Todos os direitos desta edição reservados à
EDITORA SCHWARCZ S.A.
Rua Bandeira Paulista, 702, cj. 32
04532-002 — São Paulo — SP
Telefone: (11) 3707-3500
www.seguinte.com.br
contato@seguinte.com.br

/editoraseguinte
@editoraseguinte
Editora Seguinte
editoraseguinteoficial

O compadre de Ogum

1

O MENINO ERA LOURO, de cabelo escorrido e olhos azulados. Azuis propriamente, não. "Tem olhos cor do céu", diziam as más-línguas, mas não era verdade. Azulados e não azuis, as insinuações a respeito da paternidade do Gringo não passavam de baixa exploração de gente maldosa, pronta a maliciar a propósito de um tudo ou de um nada.

Era fácil, aliás, desmascarar o boato, exibir sua falsidade: o Gringo era completamente desconhecido na fímbria do cais, não havia ainda desembarcado ninguém sabe de onde, com sua persistente e silenciosa cachaça e seus olhos azul-celeste, quando Benedita parira o menino e o andara exibindo pela vizinhança. Além do mais, mesmo depois, jamais se observava o Gringo e Benedita em chamegos um com o outro, sendo provável até nem se conhecerem, pois a embusteira, após a inesquecível aparição e a perturbadora permanência de uns meses entre eles, partira de vez, tendo reaparecido apenas quando veio deixar o menino. E ainda assim sua demora foi nenhuma, o tempo de largar o coitadinho, avisar que ainda não estava batizado, nem para isso tivera ela condições e posses, e novamente sumir sem deixar endereço nem rastro a indicar seu destino. Alguns anunciavam seu definitivo retorno ao estado de Alagoas, de onde era proveniente, e sua morte por lá, mas tais informações careciam de provas concretas.

Baseavam-se no lastimável estado físico de Benedita, ao voltar. Um trapo, magra, as faces comidas, os ossos furando a pele, a tosse constante. Por que diabo trouxera a criança e a largara ali, em mãos do negro, se não fosse a certeza de estar condenada? Porque, segundo as informações da vizinhança, de Benedita podia-se dizer quanto se quisesse: leviana, inconstante, mentirosa, bêbada, cínica — só de uma coisa não podia ela ser acusada: de mãe desnaturada tão madrasta a ponto de abandonar o filho com um ano incompleto. Ah!, se havia mãe boa e devotada, era igual a Benedita, melhor não. Desvelada, de um amor até exagerado, de um devotamento sem medidas. Quando o pobrezinho tivera uma infecção tola de intestino, Benedita passara noites e noites sem dormir, a chorar e a velar o sono do filho doente, um sobressalto a renovar-se a cada catarro, a cada dor de barriga do neném.

Ao nascer o pequeno, ela pensara inclusive em largar a vida e em se empregar de copeira ou em meter-se a lavar e a engomar. Até fome passava para nada faltar ao seu menino. Vestia-o com bordados e rendas caras, trazia-o nuns trinques de ricaço, parecia filho de capitalista.

Se viera entregar o filho, separar-se dele — concluíam uns e outros —, era porque sentia próximo o seu fim, a febre não dando mais nem uma folga, o gosto de sangue na garganta, cuspindo vermelho. E como dissera a uma conhecida, na afobação daquela rápida visita, do seu desejo de não morrer sem rever os campos onde nascera, concluíam por seu falecimento em Alagoas, nas redondezas de um burgo chamado Pilar.

Quem sabe, talvez, no entanto, houvesse morrido mesmo na Bahia, no hospital de indigentes, como propalava uma certa Ernestina, sua antiga camarada, cuja mãe também ali penava. Indo visitá-la deparara com Benedita no salão das desenganadas. Tão esquelética, a ponto de Ernestina não reconhecê-la, a tossir estendida na cama, se de cama podia-se apelidar os catres do hospital. Pedira notícias do menino e segredo de sua situação. Não queria ser visitada assim, tão acabada, fizera a amiga jurar nada dizer a ninguém.

Ernestina remoera o juramento umas três noites mas na véspera do dia de visita não resistiu, rompeu a promessa, contou o segredo a Tibéria e ao negro Massu.

No dia seguinte encaminharam-se os três para o hospital, levavam frutas, pão, uns bolos, e remédios dados pelo dr. Filinto, amigo de Tibéria, médico oficial do castelo, homem bom. Tinham discutido se deviam ou não levar o menino e concluído pela negativa: era melhor deixar para depois, podia ser um impacto grande demais para a enferma. Assim tão fraca e debilitada, podia até falecer com o choque.

Lá não mais encontraram Benedita e ninguém soube informar direito o que lhe sucedera. Enfermeiras apressadas, funcionários mal-humorados, umas e outros nada sabiam de concreto. Aquilo era um hospital de indigentes, não se ia esperar houvesse ali a ordem e a organização de um hospital particular. Assim, ficaram sem saber se tivera alta (e a alta ali não significava cura e, sim, impossibilidade de cura) ou se estava no rol das três indigentes falecidas nos últimos dias.

Depois disso nenhuma outra notícia da alegre Benedita, tão simpática e sem juízo, podia estar morta ou viva, afinal nenhum conhecido acompanhara seu enterro. Quem sabe, apareceria quando menos esperasse, a reclamar o menino, se bem que o mais certo, como explicava Tibéria, era ter mesmo faltado com o corpo, estar morta e enterrada e o menino órfão de mãe. Ela própria, Tibéria, de acordo com Jesus, quisera, ao voltar do hospital, tomar a criança de Massu, levá-la consigo. Mas o negro nem admitia discutir o assunto, virara uma fera, ele e a avó dele, a negra Veveva, quase centenária mas ainda capaz de dançar na roda das iaôs, no candomblé, quanto mais de cuidar de uma criança. Também ela levantara-se em cólera: levar o menino, o filho de Massu, isso jamais!

Ora, se Benedita só teria podido engravidar do Gringo por ocasião de sua volta, já doente, para trazer o filho e deixá-lo com Massu, como atribuir ao loiro marinheiro tão impossível paternidade? Vontade de falar da vida dos outros, de inventar maledicências. Olhos azulados qualquer menino pode ter, mesmo sendo o pai negro, pois é impossível separar e catalogar todos os sangues de uma criança nascida na Bahia. De repente, surge um loiro entre mulatos ou um negrinho entre brancos. Assim somos nós, Deus seja louvado!

Benedita dizia ter saído o menino assim branco por haver puxado ao seu avô materno, homenzarrão loiro e estrangeiro, bebedor de cerveja, hércules de feira a levantar pesos e marombas para espanto dos tabaréus. Explicação, como se vê, das mais razoáveis, só as más-línguas teimavam em não aceitá-la e viviam atribuindo pais ao garoto como se não lhe bastasse Massu, um pai e tanto, cidadão direito e respeitado, com ele ninguém tirava prosa, e doido pelo filho. Sem falar na avó, na negra velha Veveva com seu menino nos braços. A própria Tibéria, mulher de julgamento severo e definitivo, pronunciara sua sentença quando desistira de adotar a criança: ficava ela em boas mãos, não podia estar mais bem entregue, pai mais compenetrado, mais doce avó.

Quanto à paternidade, ninguém melhor situado para julgar e decidir sobre ela do que Benedita e Massu. Quando tivera de separar-se do menino para morrer em paz, não desejara a rapariga outro pai para seu filho, devia saber o que estava fazendo. E Massu jamais demonstrara a menor dúvida, a menor desconfiança, a sombra sequer de uma suspeita em relação à conduta de Benedita em todo aquele assunto. Quando ela sumira do meio deles já anunciara a gravidez às amigas. Por que não seria dele a barriga, se haviam rolado os dois nas areias do trapiche em noite de bebedeira?

Benedita andava com eles para baixo e para cima, bastava chamá-la e ela vinha, bebia, cantava, dançava nas gafieiras, dormia às vezes com um deles. Falavam de um xodó seu, um tal de Otoniel, empregado no comércio, esbranquicento, com cara de palerma. Não havia nada afirmativo, porém. Ela era livre de fazer com seu tempo o que melhor quisesse, o tal de Otoniel sem voz nem voto.

Foi assim que em noite de muita cachaça, quando todos baquearam — até Jesuíno Galo Doido, tão poucas vezes visto arriado —, tendo ficado apenas de pé o negro Massu, que não perdia jamais a consciência e a força, com ele foi para o areal a moça Benedita e para ele se abriu. Sem saber de nada, a pobre, pois como adivinhar a antiga e encoberta paixão de Massu, se roendo por ela? Rebolaram-se na areia, o negro bufando como um touro espicaçado. Benedita o recebia alegre, estava sempre alegre e satisfeita da vida.

Os outros passavam por ela, por seu corpo e sua alegria, sem deixar marca. Mas não o negro Massu. Não só marcou-lhe todo o corpo com os punhos e os dentes, deixando-a roxa como se houvesse sido surrada: quis enquadrá-la ao demais em certos limites ditados por sua ânsia e seu ciúme.

Já no outro dia a exigiu de volta ao areal e, não a encontrando, entrou em fúria, ameaçou destruir o botequim de Isidro do Batualê, foi uma dificuldade para contê-lo. Ao comprovar depois ter ela se entrevistado com o tal de Otoniel, caixeiro de loja em São Pedro, para ali se dirigiu como um desatinado. Ergueu o caixeiro por cima do balcão, atirou-o contra as baterias de cozinha — era uma casa onde vendiam panelas, frigideiras, caçarolas —, espancou mais dois caixeiros e o gerente e terminou botando o patrão para correr. Foram necessários quatro soldados para levá-lo, arrastado pelas ruas, comendo bainha de facão.

Benedita aproveitou-se do engaiolamento de Massu, dias de calma após os sucessos violentos, e, anunciando sua gravidez, sumiu no mundo. Também desapareceu Otoniel mas não foi com a rapariga, não era louco de arriscar a vida, Massu ameaçara matá-lo se ele ainda a procurasse. Obteve dos patrões uma carta de recomendação e foi tentar a vida no Rio de Janeiro. Massu, finalmente posto em liberdade, por intervenção do major Cosme de Faria, não encontrou nem rastro de Benedita. Andou uns tempos de cara fechada, resmungando a propósito de tudo, recuperou-se finalmente, esqueceu o rosto da moça e a noite no areal. Voltou a ser o bom e cordial Massu das Sete Portas, nem se lembrava mais de Benedita.

Eis senão quando ela, uma noite, surge em sua casa com o menino e ali o deixa a atrapalhar-se nos primeiros passos, levantando e caindo, agarrando-se nas pernas de Veveva, rindo com sua cara engraçada. Era o filho posto por Massu em seu ventre quando tinham sido amantes os dois, meses antes, talvez vovó Veveva estivesse a par do caso. Não ouvira falar? Pois Massu a tinha embarrigado, a ela, Benedita, e depois a largara por aí. Ela tivera a criança, aquela beleza de menino, e não pretendia dela se separar, não fosse estar doente, necessitando tratamento de hospital, internada. Nesse caso, onde deixar o menino, senão em casa do pai? Uma coisa ela sabia: Massu era bom, não ia largar o filho na necessidade.

Foi mesmo nessa hora, quando Benedita pronunciava tais palavras, que Massu escolheu para chegar. Vinha trazer uns trocados para a avó comprar mantimentos. Ouviu a falação de Benedita, espiou o menino engatinhando pela casa, pondo-se de pé e caindo. Numa dessas quedas o corneta olhou para Massu e riu. O negro estremeceu: Benedita por onde andara para se fazer tão magra e feia, tão acabada, uns bracinhos de esqueleto? Mas o menino era robusto e forte, cada braço e cada perna, seu filho. Se fosse um pouco menos branco, de cabelo mais encaracolado, teria sido melhor. Mas, no fundo, não fazia diferença.

— Saiu a meu avô materno que era branco de olho azul e falava umas línguas da disgrama. Saiu branco como podia ter saído preto, foi meu sangue que valeu. Mas o corpo é o teu, direitinho. E o jeito de rir...

O jeito de rir, não tinha nada mais belo. O negro pôs-se de cócoras no chão, o menino veio e se levantou entre suas pernas. E disse "papá" e repetiu. A gargalhada de Massu ressoou, estremecendo as paredes. Então Benedita sorriu e foi-se embora descansada. As lágrimas seriam apenas de saudade, não de temor e desespero.

Quanto ao resto, jamais se viu pai e filho tão unidos, tão amigos. Nas costas do negro, o menino cavalga pela sala. Riem juntos os dois e a avó também.

Só faltava mesmo batizá-lo. Onde já se viu, perguntava Veveva, menino de onze meses feitos e ainda pagão?

2

O BATIZADO DE UMA CRIANÇA PARECE coisa muito simples, vai-se ver e não é, implica todo um complicado processo. Não é só pegar o menino, juntar uns conhecidos, tocar-se o bando para a primeira igreja, falar com o padre e pronto. Se fosse só isso, não seria problema. Mas é necessário escolher, com antecedência, o padre e a igreja, levando-se em conta as devoções e obrigações dos pais e da própria criança, os orixás e encantados aos quais estão ligados, é necessário preparar as roupas para o dia, escolher os padrinhos, dar uma festinha para os amigos, arranjar dinheiro para consideráveis despesas. Trata-se de tarefa árdua, pesada responsabilidade.

A negra velha Veveva não queria saber de desculpas: o

menino não havia de completar um ano de idade em estado de pagão, como um bicho. Veveva sentia-se escandalizada com a displicência de Benedita. Era mesmo uma avoada, uma sem juízo. Contentara-se com dar nome ao menino, chamara-o Felício, ninguém sabia por quê. Não era um nome feio, mas, se tivesse sido ela a escolher, Veveva teria preferido Asdrúbal ou Alcebíades. Mas Felício também servia, qualquer nome servia se a criatura fosse batizada, não corresse o risco de morrer sem o sacramento, condenada a jamais usufruir das belezas do paraíso, a atravessar a eternidade no limbo, um lugar úmido e chuvoso no pensar de Veveva.

Massu prometeu-lhe tomar as providências necessárias. Mas não faria nada às carreiras, o menino não estava ameaçado de morte, e um batizado apressado podia complicar toda a vida da criança. Ia consultar os amigos, iniciar os preparativos. Veveva deu-lhe um prazo estrito: quinze dias.

Ao negro, quinze dias pareceu prazo demasiado curto, mas Jesuíno Galo Doido, logo consultado, considerou-o razoável, levando-se em conta a proximidade do aniversário da criança, que não devia festejá-lo sem estar batizada. E uma primeira decisão foi tomada: batizado e aniversário constituiriam uma única comemoração, assim seria maior a vadiação e menor a despesa. A sábia solução encontrada por Galo Doido para aquele detalhe deixou negro Massu babado de admiração: Jesuíno era mesmo um porreta, para tudo tinha jeito. Iniciaram-se então e prolongaram-se em múltiplas rodadas de pinga as conferências entre os amigos para resolver os diversos problemas provocados pelo batizado de Felício.

De começo não houve dificuldade maior. Jesuíno ia dando jeito em cada situação, sempre com argumentos razoáveis e se não resolveram tudo numa única noite foi porque seria excessivo trabalho, labor fatigante para homens alguns deles já de maior, como era o caso do próprio Jesuíno e de Cravo na Lapela. Eles e Eduardo Ipicilone revelaram-se de grande ajuda na discussão, da qual participavam também Pé-de-Vento, cabo Martim e Curió. Pé-de-Vento havia dado um palpite inicial, silenciara depois:

— Se fosse filho aqui do degas eu batizava em tudo que fosse religião: no padre, no batista, no testemunha de Jeová, nesses protestantes todos e mais no espiritismo. Assim ficava garantido de vez. Não havia jeito de escapar do céu.

Mas essa curiosa tese não foi levada em consideração. Pé-de-Vento tampouco lutou por ela. Não trazia à mesa da discussão palpites e sugestões para vê-las debatidas, elogiadas, atacadas, para brilhar. Sua intenção era tão somente ajudar e sua contribuição gratuita. Aliás, naquela primeira noite, era ele quem pagava a cachaça, os demais estavam prontos, até mesmo o cabo Martim andava a nenhum. Em geral o cabo sempre tinha uns trocados que fosse, féria do jogo. Mas naquela tarde saíra de passeio com Otália e lhe comprara quantidades de revistas, além de tê-la levado a assistir a um casamento. Otália adorava casamentos.

Na primeira noite debulharam a maior parte das matérias em debate. O enxoval para o batizado seria oferecido por Tibéria, o dinheiro para a festa Massu arranjaria com a colaboração dos amigos. A igreja deveria ser a do Rosário dos Negros, no Pelourinho, não só porque ali se batizara Massu há mais de trinta anos, como por conhecerem eles o sacristão, seu Inocêncio do Espírito Santo, mulato maneiroso, nas horas vagas corretor de jogo do bicho. Usava óculos escuros e carregava sempre consigo um velho breviário, regalo de um cura da Conceição da Praia, entre suas páginas escondia as listas de apostas. Era um bicheiro de muita confiança, pois escapava de todas as batidas policiais. Além de ser sacristão de primeira, com mais de vinte anos de prática. De quando em vez, na conversação, metia um *Deo gratias* ou um *Per omnia sæcula sæculorum*, latim de oitiva, crescendo com isso na admiração dos presentes. Iam pedir-lhe conselhos, dizia-se mesmo possuir ele o dom da vidência, mas não havia confirmação. Com seu ar de santarrão, os óculos escuros e o livro bento, era bom companheiro numa festa de aniversário, batizado ou casamento, garfo respeitável, e não desprezava uma cabrocha se a coisa não desse demasiado na vista pois tinha de conservar sua reputação a salvo das más-línguas. Nesse particular concordava com Martim quando o cabo ligava sua honra à honra de todo o glorioso exército nacional. Inocêncio considerava sua reputação parte da reputação da própria Igreja universal. Qualquer mancha a enodoar o sacristão sujava toda a cristandade. Por isso era cuidadoso e não se metia com uma qualquer.

Não fosse por outro motivo e esse seria suficiente para fixarem-se na igreja do Rosário dos Negros: seu Inocêncio estava devendo grande favor a Curió, de certa maneira ao próprio negro Massu, tinham eles concorrido para salvar-lhe a reputação.

Massu apresentara Curió a um amigo seu, Osório Redondo, farmacêutico amador, entendido em ervas, fabricante de um medicamento milagroso para a cura da blenorragia. Curió levara umas dúzias do produto para vender nos arrabaldes, cedera um vidro a seu Inocêncio.

O sacristão fora ludibriado em sua respeitabilidade por uma dessas sirigaitas metidas a puritanas e até a beatas. Dera a cuja para aparecer na sacristia todas as manhãs, a boca cheia de orações e os olhos virados para Inocêncio, numa candura comovente. O sacristão arriscou a mão pela bunda da cuja, ela deixou, ele atreveu-se mais. Ela dengou um pouco para fazer constar, Inocêncio precipitou-se, ocupou as posições. Encantado com a aventura: não era a fogosa muito jovem mas em compensação era moça fina, de família, e tão vaidoso ficou Inocêncio a ponto de não ir visitar no dia seguinte a mulata Cremildes, a quem de longa data rendia viris homenagens todas as terças-feiras. Resultado: três dias depois sentiu na carne a dolorosa decepção: a santinha pegara-lhe doença feia. Grave dilema para o sacristão: expor-se à crítica do povo indo a um dos muitos médicos, com consultório no Terreiro e na Sé, especialistas em tais enfermidades ou apodrecer em silêncio? Bastaria às comadres vê-lo subir as escadas de um daqueles consultórios para botarem a boca no mundo. Podia até perder o emprego.

Foi quando ouviu, no armazém de Alonso, alguém comentar as milagrosas virtudes do remédio vendido por

Curió. Conhecia o camelô, mantinham os dois cordiais relações, encontravam-se repetidamente no Pelourinho. Inocêncio iluminou-se por dentro, finalmente entrevia uma saída para sua desgraça.

Procurou Curió, contou-lhe uma história complicada: um amigo seu, aparentado com sua gente, pegara doença do mundo e não conseguia curar-se. Tinha vergonha de vir procurar pessoalmente Curió para adquirir o medicamento, pedira-lhe para fazê-lo. Ainda assim, ele, Inocêncio, desejava conservar sua caridosa interferência em profundo segredo, senão as más-línguas eram capazes de inventar misérias: até se espalhar ser Inocêncio o necessitado da mezinha. Curió não só lhe prometeu segredo absoluto como fez-lhe um abatimento no preço do vidro do Levanta Cacete. E Inocêncio uma semana depois já pôde voltar, arrependido e humilde, à casa e aos limpos lençóis da desprezada Cremildes.

Assim ligado ao grupo, certamente Inocêncio tudo faria para o maior brilho do batizado do filho de Massu. Tomaria pessoalmente as providências necessárias para a cerimônia. E diria uma palavra ao padre Gomes, recomendando o menino, seu pai e os amigos de seu pai. Seria Felício batizado com perfeição e capricho.

Escolhida a igreja, o sacristão e o padre, faltava o mais difícil: os padrinhos. Deixaram para fazê-lo noutra noite, era assunto extremamente delicado.

Aliás, Jesuíno lavou as mãos e caiu fora da discussão quando chegaram ao capítulo dos padrinhos. Via-se logo, pela sua atitude, contar ele como certa sua escolha para tão honroso encargo. Afinal era íntimo de Massu, amigo de muitos e muitos anos, muitas vezes o ajudara, sem falar na sua contribuição nesse assunto do batizado.

Disse não desejar influir nem pressionar Massu, por isso não participaria do debate. Padrinho e madrinha eram escolhas de iniciativa e decisão exclusivas dos pais, ninguém devia meter o bedelho. Procurados e encontrados entre os amigos íntimos, entre os mais estimados, a quem mais se deviam gentilezas e favores, os compadres eram como parentes próximos, uma espécie de irmãos. Ninguém devia envolver-se no assunto e, tomada a resolução, tampouco criticá-la ou levantar-se contra ela. Eis por que, dando mais uma vez o bom exemplo, Galo Doido retirava-se da discussão e aconselhava os demais a agirem como ele, com a mesma nobreza. Essa era a única atitude digna de ser assumida por cada um: deixar ao pai e à mãe a liberdade e a responsabilidade da grave decisão. No caso, aliás, só ao pai, pois a mãe infelizmente já faltara com o corpo, a saudosa Benedita. Fosse ela viva, e ele, Galo Doido, sabia com antecedência e certeza quem seria o escolhido. Ora se...

Retirar-se mesmo, abandonar por completo a discussão, ninguém o fez, nem sequer Jesuíno, apesar de seu eloquente falatório. Perderam-se em insinuações veladas, frases em meio-tom, chegando Ipicilone a resmungar qualquer coisa a propósito de como era hábito seu presentear repetida e regiamente seus afilhados. Afirmação recebida com geral e hilariante ceticismo: Ipicilone não tinha onde cair morto e não possuía tampouco afilhado a quem presentear. De qualquer maneira, Jesuíno considerou de muito mau gosto e extremamente incorreta tal insinuação, contando seu protesto com o apoio dos demais.

Deu-se conta assim o negro Massu de estarem todos eles, sem exceção — Jesuíno, Martim, Pé-de-Vento, Curió, Ipicilone, Cravo na Lapela e até o espanhol Alonso —, à espera, cada um deles, de ser convidado para padrinho da criança. Eram sete naquele momento, no dia seguinte poderiam ser dez ou quinze candidatos. A primeira reação de Massu foi de vaidade satisfeita, todos desejando a honra de chamá-lo de compadre, como se ele fosse político ou comerciante da Cidade Baixa. Por seu gosto convidaria a todos, o menino teria inúmeros padrinhos, os sete presentes e muitos outros, os amigos todos, os do cais, os dos saveiros, os dos mercados, das feiras, das Sete Portas e de Água dos Meninos, das casas de santo e das rodas de capoeira. Mas, se os candidatos eram muitos, padrinho deveria ser apenas um, escolhido entre eles, e de repente Massu dava-se conta do problema, e não encontrava saída. O único jeito era adiar o assunto, deixar a decisão para o dia seguinte. Senão, como continuar a beber em paz e na boa camaradagem? Olhares atravessados, palavras de duplo sentido, frases avinagradas começavam a entrecruzar-se.

Para terminar a noite em perfeita amizade puseram-se de acordo sobre a madrinha: seria Tibéria. Escapara ela de ser mãe de Felício, quisera adotá-lo, e ia dar a roupa do batizado. A escolha se impunha, não cabia discussão. Martim chegara a lembrar o nome de Otália, e Ipicilone o da negra Sebastiana, seu xodó no momento, mas apenas citou-se Tibéria as demais candidaturas foram retiradas.

Competia-lhes agora ir ao castelo comunicar-lhe a boa-nova. Quem sabe, eufórica na emoção e na alegria da notícia, não abriria ela uma garrafa de cachaça ou umas cervejas geladas para saudar o compadre?

Saíram do armazém de Alonso novamente em fraternal camaradagem. Mas entre eles, como invisível lâmina a separá-los, motivo de permanente atrito, ia o problema da escolha do padrinho. Massu balançava a cabeçorra como se quisesse livrar-se da preocupação: decidiria no correr da semana, afinal não havia tanta pressa. Veveva dera um prazo de quinze dias e já no primeiro tinham resolvido a maior parte dos problemas.

3

A MAIOR PARTE, SIM, A MAIS difícil, não. Difícil mesmo era escolher o padrinho, convencera-se Massu, quando, três dias após a noite das primeiras e felizes conversações, a situação não se modificara, o menino continuava sem padrinho.

Não se modificara, é maneira de falar: em verdade a situação piorara. Não haviam adiantado nem um passo no sentido da solução do problema, em compensação pesava sobre o grupo a ameaça de sérias dissensões. Aparentemente aquela antiga e exaltada amizade continuava perfeita, não sofrera o menor arranhão. Mas um observador atento poderia sentir, no correr das noites e dos tragos, uma tensão a crescer, a marcar palavras e gestos, a colocar pesados silêncios em meio à conversa. Como se tivessem medo de ofenderem-se uns aos outros, estavam educados e cerimoniosos, sem aquela largada intimidade de tantos anos e tanta cachaça.

Todos, no entanto, muito atentos para com Massu, a tratá-lo nas palmas das mãos. Não podia o negro queixar-se, e, não fora estrito e rigoroso o prazo estabelecido pela velha Veveva, não havia ele de desejar outra vida, pai cercado de generosos pretendentes a compadre.

Cravo na Lapela oferecera-lhe charutos, uns pretos e fortes, de Cruz das Almas, de primeiríssima. Curió trouxera um patuá para proteger o menino contra as febres, a urucubaca e as mordidas de cobra, além de umas fitas do Bonfim. Ipicilone convidara Massu para um sarapatel em casa da negra Sebastiana, regado a caninha de Santo Amaro, e lá tentara embebedá-lo, talvez com a intenção de levá-lo a uma decisão favorável às suas pretensões. Massu comera e bebera à tripa forra mas quem primeiro rolou, entregue às baratas, foi Ipicilone. Massu ainda se aproveitou para dar uns apertos na negra Sebastiana e só não foi mais adiante em consideração a Ipicilone, bêbado porém presente. Não ficava bem, com o amigo na sala, a vomitar.

Cabo Martim, esse então mostrou-se de uma solicitude exemplar. Tendo encontrado o negro a suar no caminho da Barra, na cabeça um enorme balaio repleto de compras, debaixo do braço um porrão de barro, grande e incômodo, sob o sol das onze horas, dele aproximou-se e se propôs a ajudá-lo. Outro qualquer teria quebrado a esquina para evitar o encontro. Martim foi logo tomando do porrão, aliviando o negro de uma parte da carga, e com ele tocou-se para a Barra, fazendo-lhe companhia, diminuindo a distância com sua prosa sempre agradável e instrutiva. Massu sentia-se grato, não só pela diminuição da carga — e porrão dos grandes é troço difícil de conduzir, não cabe direito sob o braço, na cabeça o negro já levava o balaio — como pela conversa a conservar-lhe o bom humor, pois, antes do encontro com Martim, o negro ia aperreado da vida, arrenegando o diabo: pegara aquele biscate, o frete de uma dona elegante da Barra, compras feitas no Mercado das Sete Portas, mantimentos para uma semana, porque estava mesmo a nenhum e Veveva reclamava dinheiro para a farinha do menino. O pestinha adorava banana com farinha, comia como um disgramado e ele, Massu, andava numa urucubaca sem medida, não acertava um palpite no bicho.

Martim, sobraçando o porrão, tentando ajeitá-lo no braço — recusava-se a levá-lo na cabeça —, ia contando as novidades. Não aparecera na véspera porque fora à grande festa de Oxumaré no candomblé de Arminda de Euá, que festa, seu mano, mais bonita era impossível... O cabo, em sua vida inteira de macumba, nunca vira descer tanto santo de uma só vez, só Ogum vieram sete e cada qual mais esporreteado...

Parou negro Massu sua caminhada: era filho de Ogum e também seu ogã. Martim contava da festa, da dança e das cantigas. Massu, apesar do balaio na cabeça, em equilíbrio instável, cheio de coisas de quebrar, ensaiou uns passos de dança. Martim quebrou também o corpo e puxou uma cantiga do orixá dos metais.

— Ogum ê ê! — salvou Massu.

E teve uma iluminação, como se o sol explodisse em amarelo, aquele sol cruel e castigado, teve um revertério, um troço nos olhos, uma visão: viu nos matos próximos Ogum rindo para ele, todo paramentado, com suas ferramentas, a dizer-lhe para ter calma porque ele, Ogum, seu pai, resolveria o problema do padrinho do menino. Massu devia vir procurá-lo. Disse e sumiu ligeiro, de tudo aquilo só ficou um ponto de luz na retina do negro, prova insofismável do acontecido.

Voltou-se Massu para o cabo, perguntou-lhe:

— Você viu?

Martim recomeçara a andar:

— Um pedaço de perdição, hein? Que bundaço... — sorria acompanhando com o olhar a majestosa mulata a desaparecer na esquina.

Massu, porém, estava longe dessas lucubrações, ainda tomado por sua visão.

— Tou falando de outra coisa... De coisa séria...

— De quê, mano? Tem alguma coisa mais séria que o rabo de uma dona?

Negro Massu contou-lhe a visão, a promessa de Ogum de resolver o problema e a ordem para procurá-lo. Martim impressionou-se:

— Tu viu mesmo, negro? Tu não tá tirando cadeia em cima de mim?

— Te juro... Ainda ficou uma bolota vermelha no meu olho...

Martim considerou o assunto e sentiu-se esperançoso. Finalmente fora ele quem trouxera a conversa para aquele tema de candomblé, quem falara nos vários Ogum a dançarem no terreiro de Arminda. Se Ogum devia indicar algum nome, por que não seria o dele, Martim?

— Ah!, meu irmão, é preciso é ir logo... Quem é que tu vai consultar?

— Ora, quem... Minha mãe Doninha, é claro...

— Pois vai logo...

— Vou hoje mesmo...

Mas naquele dia a mãe de santo Doninha, ialorixá do famoso Axé da Meia Porta, onde Massu era o ogã levantado e confirmado, e onde Jesuíno tinha um alto posto, honraria das maiores, naquele dia ela não pôde atender o negro, nem mesmo vê-lo e dar-lhe uma palavra. Estava na camarinha das iaôs, ocupada com uma obrigação pesada, trabalho para uma sua filha de santo, vinda de fora. Mandou-lhe um recado, voltasse no dia seguinte, a qualquer hora da tarde.

À noite, reunidos no botequim de Isidro do Batualê, ouviram os amigos da boca do negro a versão exata do acontecido. Martim já lhes havia adiantado algumas informações mas queriam escutar, com todos os detalhes, a narração de Massu.

O negro lhes contou: ia com Martim pelo caminho da Barra, carregado com balaios e porrões, quando começara a ouvir a música dos atabaques e umas cantigas de santo. A princípio baixinho, em surdina, depois foi crescendo, virou uma festa. Ali estava Martim para confirmar, não o deixava mentir.

Martim confirmou e acrescentou um detalhe: antes estavam falando da festa de Oxumaré no candomblé de Arminda de Euá, e quando o nome de Ogum foi citado, tanto Massu quanto ele sentiram o baque do santo no cangote, uma quebra do corpo como se fossem feitas e estivessem na roda de santo, no terreiro. Como se fossem cair no santo. Ele, Martim, chegara a sentir uma tremedeira nas pernas.

Pois a música cresceu e aí Ogum apareceu, saindo dos matos à beira do caminho, era um Ogum enorme, para mais de três metros, todo vestido com seus aparatos, a voz dominando tudo. Chegou e abraçou Massu, seu ogã, e lhe disse para não se preocupar mais com essa história de padrinho para o menino, pois caberia a ele, Ogum, decidir o assunto. Libertando assim o negro Massu daquela aperreação, daquela terrível dificuldade, sem saber a quem escolher entre amigos igualmente queridos. Não fora assim mesmo, Martim?

Martim novamente confirmou, sem garantir no entanto pela medida exata do Ogum, tanto podia ser três metros, como um pouco menos ou um pouco mais. Em sua opinião, era para mais, uns três metros e meio, talvez. E o vozeirão? Um vozeirão de vendaval, de estrondar tudo. Os demais olhavam o cabo pelo rabo dos olhos: via-se logo estar ele adulando Ogum, fazendo sua média junto do orixá.

Massu concluía sua narrativa, satisfeito: Ogum decidiria sobre o padrinho para o menino e quem quisesse fosse discutir a escolha feita pelo poderoso orixá, só maluco o faria, Ogum não é santo de sofrer desfeita.

Houve um silêncio pleno de concordância e respeito mas também de mudas interrogações. Não teria sido tudo aquilo montado pelo cabo Martim, não teria ele convencido o bom negro Massu daquela estranha visão ao meio-dia com música de macumba e o santo dançando em plena via pública? Martim era um tipo cheio de malícia e picardia, podia aquilo ser um plano bem arquitetado: na primeira visão, Ogum prometia resolver o problema, numa segunda, novamente sem a presença dos demais, Ogum — um Ogum de fancaria, existindo só na imaginação do negro, cutucada pelo cabo — declararia ter escolhido Martim para padrinho. Os olhares iam de Massu a Martim, inquietos, sem esconder as suspeitas. Por fim Jesuíno tomou a palavra:

— Quer dizer que Ogum vai escolher? Ótimo. Mas como é que vai ser? Ele disse pra tu ir procurar ele. Onde? Como tu vai fazer?

— Consultando quem pode me esclarecer. Já fui, hoje mesmo.

— Tu já foi? — na voz de Galo Doido soava o alarma. — Quem foi que tu consultou?

Teria sido ao próprio Martim ou a algum industriado pelo cabo?

— Fui ver mãe Doninha mas ela estava ocupada, não pôde me atender, só amanhã.

Jesuíno respirou, aliviado, os demais também. Mãe Doninha estava acima de toda e qualquer suspeita, merecia absoluta confiança, quem ousaria sequer levantar a menor dúvida a respeito de sua honorabilidade, sem falar nos seus poderes, em sua intimidade com os orixás?

— Mãe Doninha? Tu fez bem, pra uma coisa tão séria, só mesmo ela. Quando tu vai de novo?

— Amanhã, sem falta.

Apenas Pé-de-Vento ainda teimava em seu conselho inicial.

— Se eu fosse tu, batizava o arrenegadozinho no padre, no espírita, nas igrejas de crente de todo jeito, tem uma porção, pra mais de vinte, tudo com batizado diferente. Pra cada batizado, tu escolhia um padrinho...

Solução talvez prática e radical, mas inaceitável. Que diabo iria o menino fazer pela vida afora com todas essas religiões, não ia ter tempo para nada, a correr de igreja para igreja. Bastava com o católico e o candomblé que, como todos sabem, se misturam e se entendem... Batizava no padre, amarrava o santo no terreiro. Para que mais?

No outro dia, pela tarde, tocou-se Massu para o alto do Retiro, onde ficava o terreiro de Doninha. Era um dos maiores axés da cidade, roça enorme, com várias casas de santo, casas para as filhas e para as irmãs de santo, para os hóspedes, um grande barracão para as festas, a casa dos eguns e a pequena casa de Exu, próxima à entrada.

Doninha estava em casa de Xangô, o dono do axé, e ali conversou com Massu. Deu-lhe a mão a beijar, convidou-o a sentar-se e, antes de chegarem ao assunto, praticaram acerca de coisas variadas como devem fazer as pessoas bem-educadas. Finalmente Doninha colocou uma pausa na conversa, reclamou um café a uma das feitas, cruzou as mãos, inclinou ligeiramente a cabeça para o lado de Massu como a lhe mostrar estar pronta a ouvi-lo, ser chegada a hora da consulta.

Massu desdobrou então seu padre-nosso, contando da

chegada de Benedita com o menino, bem cuidado, gordo mas sem batismo. Benedita nunca tivera muita religião, era avoada, nunca levara nada a sério na vida. Coitada, tinha batido as botas no hospital, pelo menos constava, porque ver ninguém vira, ninguém acompanhara o enterro.

Ouvia a mãe de santo em silêncio, aprovando com a cabeça, resmungando palavras em nagô de quando em vez. Era uma negra de seus sessenta anos, gorda e pausada, seios imensos, olhos vivos. Vestia saia rodada e bata alva, calçava chinelos de couro, um cordão de contas amarrado à cintura, o pescoço e os pulsos pesados de colares e pulseiras, o ar majestoso e seguro de alguém consciente de seu poder e de sua sabedoria.

Massu falava sem temor nem vacilações, com confiança, havia entre ele e a mãe de santo, como entre ela e as demais pessoas do axé, uma íntima ligação, quase um parentesco. Contava ele da aflição de Veveva com o menino sem batizar e Doninha aprovou essa preocupação, Veveva era sua irmã de santo, uma das feitas mais antigas da casa. Quando Doninha fizera santo, já Veveva cumpria as obrigações dos sete anos. Pois Veveva dera-lhe o prazo de quinze dias para batizar o menino, não queria vê-lo completar pagão um ano de idade. Tudo correra bem na discussão dos preparativos, até mesmo a escolha da madrinha, haviam concordado em Tibéria, mas definitivamente encalharam no padrinho. Massu era de natural amigueiro e, sem falar nos conhecidos aos montes, tinha tantos amigos fraternais, como entre eles escolher a um único? Sobretudo em se tratando dos cinco ou seis a encontrarem-se todas as noites, nem irmãos seriam tão inseparáveis. Massu já não dormia, perdia as noites comparando as virtudes dos amigos e não conseguia decidir. Em toda sua vida nunca soubera antes o que fosse dor de cabeça, agora sofria um aperto nas têmporas, um zumbido nos ouvidos, a testa a estalar. Já se via brigado com os amigos, afastado de seu convívio, e como viver então sem o calor da convivência humana, degredado em sua própria terra?

Doninha compreendia o drama, balançava a cabeça concordando. Chegou Massu então à intervenção de Ogum:

— Ia pelo caminho, carregado como um burro, Martim junto de mim conversando, quando, sem aviso nem nada, meu Pai Ogum apareceu a meu lado, um gigante de mais de cinco metros, maior que um poste. Conheci ele logo porque vinha todo paramentado e pela risada. Chegou e foi dizendo para eu vir ver vosmicê, minha Mãe, que ele ia dizer o que tinha decidido sobre o padrinho do menino. Que deixasse o caso com ele, ele mesmo ia resolver. Por isso vim ontem e tou vindo hoje, para saber a resposta. Quando acabou de dizer, ele riu de novo e zumbiu para o lado do sol, entrou por ele adentro e deu uma explosão, ficou tudo amarelo numa chuva de ouro.

Terminou Massu sua narrativa, Doninha comunicou-lhe já estar mais ou menos a par do assunto, não ter sido surpresa para ela, pois na véspera, quando por ali andara o negro e ela não o pudera ver por estar ocupada com obrigação muito dificultosa e delicada, acontecera algo realmente estrambótico. Naquela hora exata da chegada de Massu, estava ela começando a jogar os búzios para pedir a

Xangô resposta às aflitas interrogações da dona da obrigação — uma sua filha de santo há muitos anos afastada da Bahia, morando em São Paulo, envolvida numa complicação como Massu nem podia imaginar, bastando dizer ter ela vindo às carreiras do Sul para fazer aquela obrigação para Xangô e colocar-se sob sua proteção. Pois como ia dizendo, Doninha jogou e invocou Xangô mas, em vez de Xangô, quem apareceu e falou um bocado de atrapalhações (assim ela pensara na ocasião) fora Ogum. Ela jogava os búzios, chamava por Xangô, vinha Ogum, tomava a frente e saía com uma confusão danada. E Doninha, sem saber de nada, ignorando as histórias de Massu, a despachar Ogum e a reclamar a presença de Xangô. Chegara a pensar ser tudo aquilo arte de Exu, muito capaz de estar imitando Ogum só para arreliar. Doninha já estava ficando queimada, a filha de santo de cabelo arrepiado, pois estando seus assuntos tão atrapalhados, aquela confusão a deixava arrasada. Como suportar um desassossego a mais, se já tinha sua conta e a sobra?

Foi quando Doninha, desconfiando de influência estranha, mandara uma iaô saber quem estava no terreiro, àquela hora. E a iaô, uma de Oxóssi, viera com o recado de Massu. Doninha não ligara então a visita de Massu ao aparecimento de Ogum, mandara apenas dizer ao negro para voltar no dia seguinte, como ia poder recebê-lo em meio àquele atropelo?

Mas, apenas Massu cruzara a porta da roça, Ogum se retirara também, tudo voltou ao normal, Xangô pôde chegar com toda sua majestade e responder à consulta da moça, resolvendo seus problemas tudo pelo melhor, a pobre ficara numa alegria, só vendo…

Depois, maginando no acontecido, Doninha começou a ligar as pontas do novelo, a tirar conclusões: Ogum viera porque tinha alguma coisa a ver com Massu. Ficara então a mãe de santo a esperar a visita do ogã. Ainda agora, enquanto proseavam, ela sentia uma coisa no ar, era capaz de jurar encontrar-se Ogum ali por perto a ouvir toda a conversa.

Levantou-se com esforço da cadeira, pôs as mãos nas ancas largas como ondas de mar revolto, mandou Massu esperar. Ia tirar tudo a limpo imediatamente, dirigiu-se para a casa de Ogum, numa pequena descida após o barracão. Uma filha de santo apareceu conduzindo uma bandeja com xícaras e bule, beijou a mão de Massu antes de oferecer-lhe o café quente e cheiroso. O negro sentia-se confortado e quase tranquilo, pela primeira vez em vários dias.

Não tardou Doninha, voltou andando com seu passo miúdo e apressado. Sentou-se, explicou a Massu as determinações de Ogum. Devia o negro trazer dois galos e cinco pombos além de uma travessa de acarajés e abarás para dar comida à sua cabeça. Responderia ele então sobre o padrinho. Na quinta-feira, daí a dois dias, após o crepúsculo.

Doninha encarregou-se de mandar preparar os acarajés e os abarás, Massu adiantou-lhe o dinheiro necessário. Os galos e os pombos traria no dia seguinte. Na quinta-feira viria em companhia dos amigos, comeriam com Doninha e as feitas por acaso presentes a comida do santo. Haveria aluá de abacaxi.

Viveram todos eles em suspenso aqueles dois dias, a perguntarem-se quem seria o escolhido por Ogum como o mais digno de ser padrinho do menino. O problema adquirira nova dimensão. Uma coisa era escolha feita pelo negro Massu, podia ele facilmente enganar-se, cometer uma injustiça. Mas Ogum não se enganaria, não cometeria injustiças. Quem ele escolhesse estaria consagrado como o melhor, o mais digno, o amigo exemplar. Sentiam-se todos de coração pequeno, agora estavam em jogo incontroláveis forças, mais além de todo e qualquer arranjo, malícia ou sabedoria. Nem mesmo Jesuíno, tão altamente situado na hierarquia dos candomblés, podia influir. Ogum é o orixá dos metais, suas decisões são inflexíveis, sua espada é de fogo.

4

AO LONGE, AS LUZES DA CIDADE acenderam-se, o crepúsculo cresceu entre os matos no caminho do axé. Iam silenciosos e pensativos, Tibéria vinha com eles, fizera questão de estar presente, considerava-se diretamente interessada no assunto por ser a madrinha. Cabras e cabritos corriam pelas ribanceiras, recolhendo-se. As sombras caíam por cima das árvores e dos passantes, mais adiante a escuridão ia-se levantando como um muro.

No axé havia um silêncio de luzes apagadas e discretos passos nas casas habitadas por filhas de santo. Vermelha luz de fifós filtrava-se por entre as frestas das portas e janelas. Na casa de Ogum, velas acesas iluminavam o peji.

Quando eles atravessaram a porteira e saudaram Exu, uma filha de Oxalá, toda de branco como é do ritual, surgiu da sombra e murmurou:

— Mãe Doninha já está esperando. Em casa de Ogum...

Uma cortina de chitão encobria a porta, tapando a entrada. Foram penetrando um a um, curvando-se ante o peji do santo, encostando-se depois à parede. A mãe de santo estava sentada num tamborete, um prato com obis em sua frente, dava a mão a beijar. A escuridão ia baixando sobre os campos, lentamente. Como a saleta era pequena não couberam todos: apenas Massu, Tibéria e Jesuíno ficaram no interior com Doninha. Os demais e as filhas de santo agrupavam-se do lado de fora, a cortina havia sido suspensa.

Uma feita veio e, ajoelhando-se diante de mãe Doninha, entregou-lhe um prato de barro com as duas grandes facas amoladas. Outra trouxe os dois galos. A mãe de santo puxou uma cantiga, as filhas responderam. A obrigação começara.

Prendeu Doninha o primeiro galo sob seus pés e entre eles colocou a cumbuca de barro. Segurou a ave pela cabeça, tomou da faca, decepou o pescoço, o sangue correu. Arrancou depois penas, juntou-as ao sangue.

O segundo galo foi sacrificado, as cantigas cortavam a noite, desciam pelas ladeiras para a cidade da Bahia, em louvor de Ogum.

Uma iaô veio e trouxe os pombos brancos, assustados. Noutra cumbuca foi recolhido o sangue e juntadas as penas escolhidas.

Doninha levantou, tomou do adjá, com ele comandou a

música. Pronunciou as palavras de oferenda, entregando os animais mortos a Ogum. Massu estava dobrado sobre a terra, Jesuíno também. Com os dedos molhados de sangue, Doninha tocou na testa de cada um. Dos que estavam dentro da camarinha e dos outros. Qualquer um podia ser o escolhido. As filhas de santo levaram os animais mortos para preparar as comidas dos santos.

Saíram todos então para o terreiro e ali ficaram a conversar enquanto na cozinha da casa maior crescia o movimento. A noite caía por inteiro, as estrelas eram inúmeras naquele céu sem lâmpadas elétricas, eles não falavam no assunto que ali os levara. Era como uma reunião social, amigos a conversar. Doninha narrava coisas de sua infância distante, recordava gente já desaparecida, Tibéria contava casos. Assim ficaram até ser anunciado pela iaô de Oxalá estar a comida preparada.

Vieram as feitas em fila trazendo as travessas de comida de azeite, os abarás, os acarajés, o xinxim. Os animais sacrificados eram agora a comida cheirosa e colorida. Doninha escolheu os pedaços rituais, do santo, juntando-lhes abarás e acarajés. Os pratos foram colocados no peji, as feitas cantavam. Doninha puxava as cantigas.

Tomou então dos búzios e jogou. Os amigos enfiavam as cabeças pela porta para não perder detalhe. Ela jogou e chamou por Ogum. Ele estava satisfeito, via-se logo, pois veio rindo e brincando, e saudou a todos, e muito particularmente à mãe Doninha e ao seu ogã Massu.

Doninha agradeceu e perguntou-lhe se era bem verdade estar ele disposto a ajudar Massu naquele difícil transe, qual fosse a escolha do padrinho do menino seu filho. Ora, respondeu, para isso viera, para agradecer a comida oferecida por Massu, o sangue dos galos e dos pombos e para conversar com eles, dar-lhes a tão esperada solução.

Coube a Massu então por sua vez agradecer e transmitir suas mais efusivas saudações. Pois ali estava ele com aquele danado problema do batizado do filho, menino bonito e esperto, tão buliçoso e arrenegado, era um capeta, até parecia de Exu. E Massu tendo de escolher o padrinho entre os amigos, tantos amigos e tão bons, e só podia escolher um. Queria saber como agir para não ofender os demais. Para isso viera e trouxera os galos e os pombos, como Ogum ordenara. Não fora assim mesmo?

Assim mesmo fora, concordou Ogum, era tudo perfeita verdade. Vira seu filho Massu tão aperreado, viera em seu socorro. Massu não queria desgostar nenhum dos amigos e não via jeito, não era?

Acompanhavam todos o diálogo através do jogo, Doninha crescia diante deles, senhora das forças desconhecidas, da magia e da língua iorubá, das palavras decisivas e das ervas misteriosas.

E qual a solução, perguntava Massu ao encantado, a Ogum, seu pai, e todos eles, inclusive a mãe de santo Doninha, esperavam a resposta num silêncio tenso. Qual a solução, eles não viam nenhuma.

Escutou-se então na camarinha o tilintar dos ferros, o som do aço contra o aço, o ruído de espadas uma contra a outra, pois Ogum é o senhor da guerra. Ouviu-se um riso alegre e divertido, e era Ogum, cansado do lento diálogo através do jogo das contas, querendo mais diretamente estar com eles, era Ogum cavalgando uma das feitas, sua filha. Ela rompeu pela porta, saudou Doninha, postou-se no peji, elevou a voz:

— Decidir já decidi. Ninguém vai ser o padrinho do menino. O padrinho vou ser eu, Ogum. — E riu.

No silêncio de espanto, Doninha quis uma confirmação:
— Vosmicê, meu Pai? O padrinho?
— Eu mesmo e mais ninguém. Massu de agora em diante é meu compadre. Adeus pra todos, eu vou embora, preparem a festa, eu só vou voltar para o batizado.

E foi-se imediatamente embora, sem esperar sequer a cantiga de despedida. Mãe Doninha disse:

— Nunca vi disso, é a primeira vez... Orixá ser padrinho de menino, santo tomar compadre, nunca ouvi falar...

Massu estava inchado de vaidade. Compadre de Ogum, nunca nenhum existira, ele era o primeiro.

5

SIM, PERFEITA A SOLUÇÃO, ADMIRÁVEL, deixara a todos satisfeitos. Nenhum deles fora o escolhido, ninguém se encontrara colocado mais alto na escala da amizade de Massu. Acima deles, só Ogum, o encantado dos metais, o irmão de Oxóssi e de Xangô. A solução a todos contentava. Nem por isso, no entanto, podia-se dizer estar o problema do batizado completamente resolvido.

Ao contrário, a decisão de Ogum, se deslindara o insolúvel impasse da escolha do padrinho, criara uma situação nova e imprevisível: como fazer para ir Ogum à igreja do Rosário dos Negros e lá testemunhar o ato católico? Não era o orixá um ser humano, não podia passar uma procuração a um dos amigos para representá-lo. Ao demais, essa solução aventada em certo momento por Curió fazia-os retornar ao problema anterior: quem seria o escolhido para representar Ogum? Quem o fosse, estaria sendo de certa forma padrinho do menino. Não, tal ideia devia ser por inteiro afastada.

A própria mãe Doninha confessou-se em dificuldades. Como resolver o caso? Ogum tranquilamente declarara-se padrinho do menino, compadre de Massu e a notícia não tardaria a espalhar-se pela cidade, a ser comentada por todos. Nunca se vira orixá batizando menino, compadre de encantado era o primeiro, muito se iria comentar esse assunto, negro Massu crescendo de importância social, todo mundo querendo assistir ao batizado. Para ver como se arranjariam o pai e seus amigos, como fariam para ter Ogum presente à cerimônia. O orixá proclamara-se padrinho, muito bem. Mas deixara nas mãos deles — de Massu, de Doninha, de Jesuíno, de Tibéria, de Martim e dos demais — aquela batata quente: como iria Ogum testemunhar o ato?

Mãe Doninha cansou-se de fazer o jogo, chamando Ogum, tocando nos atabaques o toque do santo, cantando suas cantigas, pedindo para ele vir. Não prometera ele, em meio às risadas alegres, só voltar no dia do batizado? Pois parecia disposto a cumprir sua palavra. Doninha tinha força com os santos, ninguém nos meios do candomblé da

Bahia sabia tanto quanto ela, seus poderes eram os maiores já detidos por uma mãe de santo. Embora tão bem-vista pelos orixás, mesmo lançando mão de todos os recursos, apelando para Ossani e usando ervas secretíssimas, oferecendo, por sua própria conta, um bode a Ogum, nem assim conseguiu fazê-lo voltar, trocar com ele uma palavra, ouvir uma explicação sobre como deviam agir. Ogum desaparecera e não só de seu terreiro, do Axé da Meia Porta, mas de todos os terreiros de santo da Bahia, não descia em nenhum, criando o pânico entre suas filhas e seus ogãs pois não respondia a nenhum chamado, não vinha em busca da comida para ele preparada, nem dos animais sacrificados em sua honra.

Batiam os atabaques, corria o sangue dos galos, pombos, patos, carneiros e cabritos, as iaôs dançavam na roda, as cantigas elevavam-se, os colares e búzios eram jogados pelos mais altos babalaôs e pelas ialorixás mais antigas e sábias. Ogum não respondia. Nos quatro cantos da Bahia corria a notícia, levada de boca em boca, segredada de ouvido a ouvido: Ogum decidira ser padrinho do filho de Massu e da falecida Benedita, afastara todos os demais candidatos, e, tendo assim decidido, partira para só voltar no dia do batizado. O batizado seria daí a uma semana, no dia do primeiro aniversário do menino, na igreja do Rosário dos Negros, no Pelourinho, com dona Tibéria de madrinha. Estava ela a preparar o enxoval do menino, uma riqueza de linhos e cambraias, onde predominava o azul-escuro, a cor de Ogum, todas as meninas do castelo querendo colaborar pelo menos com um presente, o batizado começava a assumir proporções grandiosas. E a curiosidade a crescer. Desde a notícia do casamento do cabo Martim com a bela Marialva, hoje estrela de cabaré na ladeira da Praça onde exibe sua pinta negra e seu dengue, dizendo-se cantora, desde então não houvera notícia capaz de tanto excitar a curiosidade.

Abalara inclusive respeitáveis e considerados intelectuais, todos eles importantes estudiosos dos cultos afro-brasileiros, cada um com sua teoria pessoal sobre os diversos aspectos do candomblé. Discordando muito uns dos outros, mas todos unânimes em considerar verdadeiro absurdo essa história de um orixá ser padrinho de batismo de uma criança. Citando autores ingleses, americanos, cubanos, até alemães, provavam não existir a categoria de compadre na hierarquia do candomblé, nem aqui nem na África. Estavam todos eles, eminentes etnógrafos ou simples charlatões, empenhados em saber se compadre de santo situava-se acima de ogã, abaixo de obá, a que reverências tinha direito, se seria saudado antes ou depois da mãe-pequena. Porque, se bem discordassem daquela invocação a romper a pureza do ritual, contra ela não se podiam levantar pois fora obra do próprio orixá. Desejavam, isso sim, estar presentes ao batizado, empenhavam-se junto ao pessoal da seita, garantindo convites.

Com tudo isso impava Massu de vaidade, ninguém pudera com ele nos primeiros dias, tão besta estava, tão cheio de si. Mas foi chamado à amarga realidade por Jesuíno e Martim, por Tibéria e Ipicilone, por Doninha sobretudo. Como iriam sair daquela encrenca?

Para ser padrinho de batizado é preciso ir à igreja, estar presente ao ato, segurar a vela, rezar o Credo. Como poderia Ogum fazê-lo? Massu abanava a cabeçorra de boi, levantava os olhos de um para outro, esperando, de um dos amigos, a ideia salvadora: ele, Massu, não tinha nenhuma, não sabia como sair do embaraço.

Doninha tudo tentara, um dia declarou-se vencida. Não conseguia comunicar-se com Ogum, tinham sido baldados todos os esforços. E só mesmo o encantado poderia dar jeito, Massu devia desculpá-la, nada mais podia fazer.

Mais uma vez brilhou Jesuíno Galo Doido, abriu a boca e deu a solução. Não existiam dois como Galo Doido, vamos deixar de tapeações e proclamar a verdade. Com isso não se desfaz de ninguém, a ninguém se ofende, pois com o correr do tempo todos concordavam em reconhecer a comprovada superioridade de Jesuíno. Se bem naquele então não houvesse Galo Doido se elevado em toda sua altura como aconteceu depois, já lhe rendiam homenagem e não se comparavam a ele. Solução tão simples, a de Jesuíno, no entanto ninguém pensara nela.

Massu voltara do axé onde ouvira desanimadora declaração de Doninha: nada mais a tentar. Resolvera o negro adiar o batizado até Ogum decidir-se a cooperar. O adiamento seria um golpe na negra velha Veveva, tão empenhada em ver o menino batizado, mas Massu não via outro jeito a dar. Assim declarou aos amigos no armazém de Alonso:

— Penso que dei com o xis da questão... — anunciou Jesuíno.

Mas não quis revelar sua ideia sem antes ouvir a opinião de Doninha, pois de seu acordo dependia a execução e o sucesso do plano. Excitadíssimos, resolveram ir imediatamente ao terreiro.

Na presença de Doninha, Jesuíno expôs seu pensamento. Começou perguntando: não tinham eles estranhado a maneira de agir de Ogum no dia da consulta? Estava a responder através do jogo, de repente viera em pessoa, cavalgara uma de suas filhas, não era verdade? E assim, pela boca da feita, tomara para si o encargo de padrinho e declarara só voltar no dia do batizado, não fora? E não estavam todos admirados com a falta de cooperação de Ogum, desaparecido, deixando-os a penar, com tamanho problema para resolver? No entanto, já naquele dia Ogum tudo resolvera, indicara como se devia fazer, dera a solução do problema.

Olharam-se os demais com ar de idiotas. Pé-de-Vento foi porta-voz de todos, ao dizer:

— Pra mim tu tá falando alemão, não tou entendendo nada.

Jesuíno fazia um gesto com as mãos a mostrar como era fácil, bastava puxar um pouco pela cabeça. Mas eles não viam tal facilidade. Só mãe Doninha, tendo fechado os olhos e se concentrado, adivinhou a solução. Reacomodando o corpo gordo na cadeira de palhinha, reabriu os olhos a sorrir para Galo Doido:

— Tu quer dizer...

— Pois é...

— ...que Ogum vai baixar numa filha, no dia do batizado, e é ela quem vai fazer de padrinho, só que ela não é ela, é ele...

— E então? Não é simples?

Tão simples a ponto de eles ainda não entenderem e Jesuíno ser obrigado a explicar: quem iria à igreja seria uma feita de Ogum, mas atuada pelo santo, ou seja, sendo apenas o cavalo do orixá. Estavam compreendendo?

Iluminavam-se as faces em sorrisos de compreensão satisfeita. Sim, senhor, esse Jesuíno era um danado, dera no sete, encontrara a saída. A feita chegava na igreja com o santo, montada por Ogum, seria o padrinho...

— Só que mulher não pode ser padrinho... — observou Curió.

Padrinho, não, não podia ser... Tinha de ser madrinha...

— Madrinha já tem. É Tibéria — lembrou Massu.

— Nem Ogum havia de gostar de ser madrinha — protestou Doninha. — É santo homem, não há de querer posto de mulher. Madrinha, não pode ser...

De repente pareciam ter voltado ao sem jeito inicial. Mas Jesuíno não se deixou impressionar.

— Mas é só arranjar um filho de santo, um feito de Ogum.

Mas, é claro, tão simples, eles andavam abafados, nem se detinham a pensar, logo consideravam tudo perdido. Não havia dúvidas, o problema estava resolvido.

Apenas, no terreiro de Doninha não tinha no momento nenhum filho de Ogum, feito no santo. Havia gente de santo assentado como Massu mas esses não serviam, não recebiam o santo. Os dois únicos feitos por Doninha haviam-se mudado da Bahia, um vivia em Ilhéus, o outro em Maceió, onde aliás botara casa de santo.

— Fala-se com um de outro terreiro... — propôs Curió.

Proposta aparentemente aceitável mas contra ela Doninha argumentou com uma série de dúvidas. Daria certo? Ogum estaria de acordo em ir-se buscar gente de outra casa? Porque Massu era ogã ali, no candomblé da Meia Porta, e não em outro terreiro. Fora ali, pela boca de Doninha primeiro, depois manifestado numa filha do axé, que a vontade de Ogum se declarara.

Estavam nessas considerações, novamente perdidos, quando se ouviu do lado de fora da casa de Xangô, onde estavam conversando, o som de palmas e uma voz a perguntar por mãe Doninha.

— Conheço essa voz... — disse a ialorixá. — Quem é?

— É de paz, minha Mãe...

Surgiu na porta o velho Artur da Guima, artesão estabelecido na ladeira do Tabuão, bom amigo deles todos. Foi uma alegria vê-lo e não estivessem tão desanimados seria motivo para grandes abraços e palmadas nas costas.

— Ora, vejam só — disse ele —, eu subindo essas ladeiras para vir beijar a mão de minha mãe Doninha e lhe perguntar a verdade dessa história que está correndo por aí e não se fala noutra coisa, de meu Pai Ogum ter-se escolhido padrinho de batizado, e encontro aqui toda a companhia. Salve, minha Mãe, salve, meus irmãos.

Curvou-se para beijar a mão de Doninha, ela olhou para Jesuíno, Martim sorriu. Martim era íntimo do artesão, seu companheiro de jogo. Artur apostava nos dados, viciadíssimo. E foi Martim a dizer, com a voz trêmula, tão extraordinária lhe parecia a chegada do amigo:

— Artur é feito de Ogum e feito aqui em casa...

Primeiro ficaram boquiabertos, dando-se perfeita conta do sucedido. Logo foram os abraços, os apertos de mão, alegria geral e esfuziante.

Porque Artur da Guima não só era filho de Ogum, com o santo feito, como o fizera ali, naquele axé, apenas não fora Doninha quem pusera a mão em sua cabeça e lhe fizera o santo. Tinha ele mais de quarenta anos de feito, seu barco saíra da camarinha antes de Doninha ser mãe de santo, quando ainda o axé estava em mãos da finada Dodó, de memória sempre lembrada e festejada. Eis a explicação de por que, ao recordar os filhos de Ogum na roda do axé, Doninha não contara Artur da Guima, seu irmão de santo e não seu filho. Artur da Guima, certamente conduzido até ali, naquela hora mesmo, por Ogum, quem iria duvidar? Ninguém duvidava, nem o próprio Artur, quando Jesuíno tudo lhe explicou, sem esquecer detalhe.

Velho no axé, onde tinha posto elevado, Artur só aparecia por ocasião das grandes festas ou nas épocas de indispensáveis obrigações. E nunca, ou quase nunca, era visto na roda, a dançar. Sentava-se, quando comparecia, numa cadeira atrás da mãe de santo e em geral ela lhe pedia para puxar duas ou três cantigas de seu santo. Ele o fazia discretamente, não gostava de se exibir, de mostrar sua importância, impor sua antiguidade. Uma vez na vida, outra na morte, seu Ogum descia e ele dançava na roda. Mas seu

Ogum era de muito pouco descer, um Ogum difícil, raramente se manifestava, o mesmo aliás de Massu, apenas o negro o tinha assentado, não era feito no santo.

Olhavam-se Doninha e Jesuíno, a mãe de santo no cúmulo da admiração, apesar de tanta coisa ter visto em sua vida; Jesuíno, um tanto ou quanto vaidoso, por assim dizer ele colaborara com Ogum, participara de seus planos, ajudara sua realização.

— Filho de Ogum e aqui do axé... — repetia Doninha.

— E vai para mais de quarenta anos... — confirmava Artur da Guima com orgulho. — Vai fazer quarenta e um anos da festa do nome... Tem pouca gente daquele tempo...

— Eu era uma moleca de meus treze anos — lembrou Doninha. — Só dois anos depois entrei pra camarinha, pra fazer o santo...

— Santo mais retado é Ogum... — constatou o negro Massu.

Artur da Guima deu seu acordo. Com certa relutância, pois, como já se informou, era homem discreto e tímido, vivia no seu canto, de onde só saía para jogar, incorrigível nos dados, perdendo quase sempre mas incapaz de refrear-se. Seu Ogum vinha poucas vezes, levava meses sem manifestar-se, apenas reclamava uma obrigação de quando em quando, comida para sua cabeça. Mas, em compensação, quando descia era esporreteado de todo, alegre, cheio de conversas, de natural muito amigueiro, a saudar e a abraçar os conhecidos, seus ogãs e as figuras do candomblé, cheio de risadas, de descaídas de corpo, dançando como gente grande, enfim, era um Ogum de primeira, de arromba, não era um santo qualquer, era uma beleza de santo e quando ele descia todo o terreiro o saudava com entusiasmo. Artur da Guima exigia a presença de Doninha na cerimônia: só mesmo ela, com seus poderes, seria capaz de controlar esse Ogum vadio e ruidoso, solto de repente nas ruas da Bahia, pisando as lajes de uma igreja, servindo de padrinho num batizado. Ele, Artur da Guima, não se responsabilizava. Bastava lembrar aquela vez, há vários anos: estava ele à espera de uma marinete para Feira de Santana, na tarde de um domingo, um assunto sério exigia sua presença na cidade vizinha, tão sério a ponto de ele faltar à festa de Ogum naquela noite. Pois Ogum baixou ali mesmo, no ponto da marinete, e ali mesmo o agarrou e quando ele se deu conta estava no terreiro de Dodó, tinha atravessado a cidade com o santo montado em seu cangote. Mas, para começar, Ogum tinha-lhe dado uma surra, para ele aprender a respeitar os dias de sua festa, jogara com ele no chão, batera-lhe a cabeça contra os paralelepípedos. Depois, aos gritos e risadas, tomara o caminho do axé. Lá haviam chegado com uma pequena multidão a acompanhá-los. Artur da Guima soube de tudo depois, contado pelos outros.

Tinha assim experiência, esse seu Ogum era do barulho, fazia-se necessário controlá-lo, senão Artur da Guima não garantia pelo que viesse a acontecer.

Mas ninguém lhe deu muita prosa, estavam todos entusiasmados com a solução para o último problema do batizado, a notícia ia alegrar a negra velha Veveva, a festa seria na data marcada.

6

O AVÔ DO PADRE GOMES fora escravo, dos últimos a fazer a viagem num navio negreiro, tivera o dorso cortado pela chibata, chamava-se Ojuaruá, era um chefe em sua terra. Fugira de um engenho de açúcar em Pernambuco deixando o capataz esvaído em sangue, tomara parte num quilombo, andara errante pelos matos, na Bahia amigara-se com uma mulata clara e forra, terminara a vida com três filhas e uma quitanda.

Sua filha mais velha, Josefa, casara-se, já após a abolição, com um moço de armazém, lusitano branco e bonito, doido pela mulata de ancas altas e dentes limados. O velho Ojuaruá pegara os dois deitados ao lado do muro, ainda era um touro de forte, apertou o gasganete do maroto, só o soltou quando marcaram o dia do casamento.

Para o rapaz tal casamento parecia significar o fim de suas melhores esperanças, pois seu patrão e compatriota, dono do armazém onde ele trabalhava, português viúvo e sem filhos, o havia destinado a uma prima, tudo quanto lhe restava de família numa aldeia de Trás-os-Montes. O patrão estimava o caixeiro mas sentia-se também obrigado para com a prima distante à qual enviava, de quando em quando, uns patacos. O ideal era casar seu empregado fiel com a parenta, deixar para eles, quando morresse, o próspero armazém. Josefa veio romper tal combinação. Fulo, o português ameaçou mandar buscar a prima, casar-se ele próprio — ainda um lusíada válido nos seus sessenta e quatro anos de rijos músculos —, deixar-lhe tudo.

Josefa, porém, não estava disposta a perder o armazém

nem a estima do patrão. Sabia fazer-se simpática, convidou o português para padrinho de casamento, vivia a rondá-lo, a pilheriar com ele, a chamá-lo de sogro, a catar-lhe a cabeça. A verdade é ter o vendeiro esquecido de escrever a ameaçadora carta mandando vir a prima, cujo retrato, mostrado por ele a Josefa, fez a mulatinha espojar-se de tanto rir: o padrinho merecia noiva melhor, aquela era uma coirama feita de pele e ossos. Então o padrinho, bonitão e forte daquele jeito, era lá homem para roer aqueles ossos... O português batia os olhos em Josefa, nas carnes rijas, nos seios firmes, nas ancas de vaivém, e concordava.

Assim Josefa ajudou o marido, bom no trabalho e na cama, lindeza de homem, mas curto de miolo, a fazer-se sócio do patrão e dono único do armazém após a sua morte. Porque, quando Josefa teve o primeiro filho, um menino, o português ficou como doido, enternecido pelo mulatinho, agarrado com ele igual a um pai. Aliás as más-línguas não discutiam: se o velho português não fosse o pai, teria sem dúvida, no entanto, colaborado na feitura e no acabamento do menino. Não era certo ter levado o casal para morar em sua casa ampla de viúvo e lá demorar-se horas a sós com Josefa, enquanto o marido suava no armazém? Josefa dava de ombros quando alguém lhe trazia esses boatos: desdobrara-se numa mulata gorda e pacífica, capaz de dar perfeita conta de dois lusitanos, de vadiar com os dois, deixando-os contentes, a um e a outro, ao jovem indócil como um garanhão estreante, ao velho libidinoso como um bode.

O velho, nos tempos de casado, muito desejara um filho

e o desejara a ponto de fazer uma promessa: se nascesse menino ele o poria no seminário e ordenaria padre. Mas sua mulher não lhe dera essa alegria, não segurava criança nos baixios, perdeu uns quatro ou cinco e nesse engravidar e abortar, envelheceu num instante e uma gripe a levou. Cumpria agora o português sua promessa, destinou o mulatinho para o seminário. Quanto a Josefa, era de Omolu, fizera santo ainda menina, seu pai Ojuaruá era obá de Xangô, frequentara o candomblé do Engenho Velho escondido sob a terra, perseguido, nos tempos mais duros. Eis por que o futuro padre, em sua primeira infância, foi muitas vezes levado a festas e obrigações de orixás e, não tivesse partido para o internato do seminário, certamente teria feito ou assentado o santo, por sinal Ogum, conforme fizera constatar Josefa apenas ele nascera.

No seminário, esqueceu o mulatinho a visão colorida das macumbas, das rodas harmoniosas das iaôs, o som dos atabaques no chamado dos santos, a presença dos orixás nas danças rituais, esqueceu o nome de seu avô Ojuaruá, avô para ele era o português dono do armazém, padrinho de casamento de seus pais, seu padrinho de batismo, patrono da família.

Também Josefa deixou de frequentar o terreiro de candomblé, e só muito às escondidas cumpria suas obrigações para Omolu, o velho (atotô, meu pai, dai-nos saúde!). Não ficava bem à mãe de um seminarista ser vista no meio de gente de candomblé, muito menos frequentando terreiros de santo. Ainda antes do molecote transformar-se no franzino padre Gomes, ordenado e de primeira missa celebrada, ela abandonara completamente o velho Omolu, já não lhe dava de comer, não fazia nenhuma das obrigações, deixara de aparecer de vez no Engenho Velho.

Tivera ela, ademais do seminarista, apenas uma filha, Teresa, falecida aos onze anos, de varíola. E de bexiga negra morreu logo depois a própria Josefa. Disseram então as velhas tias ter sido ela castigada por Omolu, orixá da saúde e da enfermidade, senhor da bexiga e da peste, como todos sabem. Não pertenciam ambas a Omolu, a mãe e a filha, e não viera o velho mais de uma vez reclamar seu jovem cavalo, exigir sua ida para a camarinha para raspar a cabeça e receber seu santo? Mas Josefa, no respeito ao filho seminarista, preparando-se para padre, não consentira que a menina fizesse o santo, rebelara-se contra o preceito. Tampouco ela, antes tão cheia de zelo por seu orixá, cuidava dele agora, esquecida por inteiro das obrigações. Deixara de fazer o bori, há anos não dançava na festa de seu encantado. Assim diziam as velhas tias, depositárias dos segredos, íntimas dos orixás e dos eguns.

Faleceram também os dois portugueses, sócios no comércio e na cama, pais do padre recém-ordenado. Gomes vendeu o armazém, adquiriu duas outras casas em Santo Antônio além do Carmo, uma para morar, outra para aluguel. Aliás, estiveram as duas durante anos alugadas, enquanto ele exerceu no interior, em São Gonçalo dos Campos e em Conceição da Feira. Depois, não saíra mais da capital e envelhecia na igreja do Rosário dos Negros, estimado pelos fiéis, ajudado por seu Inocêncio do Espírito Santo. Rezando suas missas, realizando batizados e casamentos, movimentando-se tranquilo em meio àquela multidão variada e ativa de artesãos, portuários, mulheres da vida, vagabundos, empregados no comércio e gente sem profissão ou de profissão inconfessável. Dava-se bem com todos, era um baiano cordial, longe dele qualquer dogmatismo.

Se alguém lhe recordasse ter sido seu avô materno um obá de Xangô e sua mãe feita de Omolu, de um Omolu famoso pelo colorido das vestes de palha e pela violência da dança, ele não acreditaria sequer, tanto haviam se esfumado de sua memória as cenas de uma primeira infância dissolvida no tempo. Guardava de sua mãe a lembrança de uma gorda e simpática senhora, muito devota, não perdendo missa, mãe boníssima. Não gostava de lembrar-se de seus dias derradeiros, inchada na cama, o rosto, os braços e as pernas em chagas, cheirando mal, comida pela bexiga negra, murmurando frases ininteligíveis, palavras estranhas. Escandalizar-se-ia se aparecesse uma velha tia daquele tempo e lhe revelasse ter sido tudo aquilo obra de Omolu irritado, cavalgando seu cavalo na derradeira viagem.

Bem sabia o padre Gomes — e como ignorá-lo? — estar a cidade cheia de candomblés de variada espécie, jejes-nagôs, congos, angolas, candomblés de caboclo em profusão, casas de santo funcionando o ano inteiro, terreiros batendo todas as noites, formigando de crentes. Dos mesmos crentes a encherem sua igreja na missa dominical, os mesmos fervorosos dos santos católicos.

A grande maioria de seus paroquianos assíduos à missa,

carregando os andores nas procissões, dirigentes da Confraria, eram também de candomblé, misturavam o santo romano e o orixá africano, confundindo-os numa única divindade. Também nas camarinhas dos candomblés, tinham-lhe dito, as estampas de santos católicos estavam penduradas junto aos fetiches, ao lado das esculturas negras, são Jerônimo na camarinha de Xangô, são Jorge na de Oxóssi, santa Bárbara no peji de Iansã, santo Antônio no de Ogum.

Para seu rebanho de crentes, a igreja era como uma continuidade do terreiro de santo, e ele, padre Gomes, sacerdote dos *orixás de branco*, como designavam os santos católicos. Com tal designação marcavam sua comunidade com os seus orixás africanos, e, ao mesmo tempo, sua diferença. Eram os mesmos, porém na forma como os brancos e os ricos os adoravam. Por isso também estava padre Gomes mais distante deles, de seu respeito e de sua estima, do que as mães e pais de santo, os babalaôs, os velhos e velhas da seita. De tudo isso dava-se conta vagamente padre Gomes, o assunto não o preocupava muito, não sendo ele um sectário. Afinal era uma boa gente aquela do Pelourinho, católicos todos. Mesmo misturando santos e orixás.

Uma vez padre Gomes estranhara encontrar a igreja cheia de gente vestida de branco, assim os homens como as mulheres, até as crianças, todos de branco. Perguntou a Inocêncio se havia um motivo para aquilo ou se era simples coincidência estarem impecáveis em seus trajes alvos. O sacristão lembrou-se ser aquele dia o primeiro domingo do Bonfim, dia de Oxalá, quando, por obrigação para com o encantado, todos devem trajar-se de branco pois essa é a cor do maior dos orixás, pai dos demais santos, Senhor do Bonfim, para ser mais claro.

Com o rabo do olho e certa surpresa, padre Gomes constatou a imaculada alvura do terno de Inocêncio, calça do branco mais lustroso, camisa branca, o paletó brilhando de espermacete. Até seu sacristão, seria possível? Padre Gomes preferiu não aprofundar a questão.

Apesar dessa sua discrição, não pôde deixar de reparar na afluência extraordinária à missa das sete, naquele dia marcado para o batizado do filho de Massu. Isso num dia de semana, não era dia santo nem domingo. A igreja estava cheia, ou melhor, começara a encher-se desde cedo e quando o padre Gomes chegara, às seis e meia, já uma pequena multidão conversava nas escadarias. Recebendo cumprimentos, o reverendo atravessou entre negros, mulatos e brancos, entre conversas e risadas, o ambiente era festivo. Engraçado: a grande maioria de mulheres vestia trajes de baianas, muito coloridos, e alguns dos homens, segundo pudera ver, traziam fitas de um azul-escuro presas ao paletó.

O interior da igreja encontrava-se igualmente repleto e as saias rodadas das baianas arrastavam-se na nave onde um sem-número de iaôs e de feitas deslizavam com seus chinelos, numa leveza de dança. Gordas e antigas ialorixás, magras e ascéticas tias de carapinha branca, sentadas nos bancos, os braços enfeitados de pulseiras e contas, pesados colares nos pescoços. Iluminava-se a igreja mais das cores dessas contas e dessas fazendas floradas do que da luz esmaecida das velas nos altares. Padre Gomes franziu a testa, devia haver alguma novidade.

Interrogado, Inocêncio tranquilizou-o. Nada de mais. Apenas havia um batizado marcado para aquele dia e toda aquela gente viera assisti-lo.

Um simples batizado? Deviam então ser os pais muito ricos, gente da alta. O pai era político? Ou banqueiro? Os filhos dos banqueiros não costumavam batizar-se ali, na igreja do Rosário dos Negros, no Pelourinho. Batizavam--se na Graça ou na Piedade ou em São Francisco, também na Catedral. Podia ser um político, levando o filho por demagogia àquela humilde pia batismal.

Nem político nem banqueiro, nem dono de armazém nem mesmo estivador do cais. Negro Massu, pai do menino, fazia biscates, em geral carregos e fretes, quando realmente necessitado de dinheiro. Fora disso, gostava de pescar com Pé-de-Vento, de peruar uma boa partida de cartas ou dados, de uma conversinha puxada a cachaça. Quanto à mãe, fora alegre e bonita, boa moça, não ligava para nada, vivera como um passarinho, sem preocupações, morrera tísica num hospital.

E por que tanta gente para assistir ao batizado? — admirou-se o padre, quando colocado a par desses particulares. Que interesse podia trazê-los ali, se Massu era um pobre de Deus e nada lhes podia oferecer, nem posto público nem glória literária, nem sequer emprestar-lhes dinheiro?

Não podia o padre Gomes imaginar como era Massu benquisto, e de certa maneira importante, entre aquela gente. Sem ser político nem banqueiro, já fizera favores a meio mundo. Que espécie de favor? Pois, por exemplo, certa vez um almofadinha, um desses molecotes do Corredor da Vitória, pensando ser dono do mundo por causa do dinheiro de papai, agarrou uma menina de seus dezesseis anos, filha de Cravo na Lapela...

— De quem?

— É o apelido dele... O senhor conhece ele, anda muito pelo Pelourinho, tem sempre uma flor no paletó...

Como ia contando, o tipo encontrou a menina sozinha à noite, à procura do pai, com um recado da mãe, coisa urgente, de doença. A menina andava depressa, o pai estava trabalhando, era... bem, uma espécie de guarda-noturno numa casa de comércio. O almofadinha viu a menina só, foi agarrando, pegando, bem... pegando... Só não desgraçou a pobrezinha porque ela gritou, apareceu gente, ele capou o gato, mas foi reconhecido porque não era a primeira vez a fazer uma daquelas. Tipo sujo, não se contentava com as vacas de sua condição social, vinha bulir com as filhas dos pobres... A menina apareceu toda rasgada e chorosa na roda dos... quer dizer, onde o pai trabalhava, e lá estava negro Massu e ouviu tudo.

Enquanto Cravo na Lapela foi com a filha atender ao chamado da mulher, Massu saiu pelo Terreiro de Jesus e imediações a procurar o jovem esteio da sociedade e futuro benemérito da pátria. Foi encontrá-lo bebendo no Tabaris, um cabaré na praça do Teatro, e não queriam deixar o negro entrar porque estava de chinelos e sem gravata. Massu, porém, empurrou um e outro, o guarda-civil, seu conhecido, recuou e caiu fora, o negro foi entrando e pegou o almofadinha com tanta raiva que um dos músicos se engasgou com uma nota. Que surra, seu padre, que surra mais gloriosa! Nunca um almofadinha apanhou tanto na Bahia e, quando o negro terminou, pode crer, as mulheres-damas aplaudiram, o tal tipo não era popular, costumava usá-las e não pagar depois, e aplaudiram os músicos e os frequentadores. Quando a polícia, tardiamente chamada, apareceu, já Massu tomara uma cerveja e caíra fora, os tiras só puderam recolher o cara e levá-lo para casa onde os pais chamaram médicos e bradaram contra essa cidade sem polícia e cheia de vagabundos, onde um rapaz de boa família e bons costumes, como o filhinho da puta deles (com o perdão da má palavra, seu reverendo), não podia sequer dar uma volta à noite. Por essas e outras era Massu popular e sobravam-lhe amigos. Também popular era a madrinha, pessoa das mais bondosas e prestativas, com larguíssimo círculo de relações, inclusive gente importante, doutores, desembargadores, deputados. Era dona Tibéria, proprietária... quer dizer, casada com um alfaiate batineiro de nome Jesus, dono da Tesoura de Deus, padre Gomes com certeza conhecia. Sim, padre Gomes sabia quem era o alfaiate Jesus, quando jovem gastara suas economias numa batina cortada por ele, a primeira e a última, alfaiataria careira, boa para monsenhores e cônegos, não para um modesto pároco de bairro pobre. Também sabia quem era dona Tibéria, não concorria ela largamente para as festas da igreja? Talvez assim obtivesse perdão para os seus pecados, para seu comércio imoral. Balançou a cabeça Inocêncio, jamais discordava do padre.

E, para mudar de assunto, falou da negra velha Veveva, avó de Massu, respeitada pela idade e pelo saber.

— Que é que pode saber uma negra ignorante? E o padrinho, quem é? Também ele é popular?...

Ora, se era... Inocêncio gaguejava, esse assunto do padrinho não lhe parecia dos mais cômodos. Enfim, tinha de enfrentá-lo. O padre Gomes não conhecia o padrinho, era um estabelecido com banca no Tabuão, capaz de fazer milagres com as mãos, talhava em pedra, em marfim, em madeira.

— No Tabuão, quem sabe, conheço... Como é que se chama?

— O nome dele é... Antônio de Ogum.

— Como? De Ogum? Que é isso, de Ogum? Nome mais esquisito.

— Maneiroso, sujeito mais hábil. A maioria dos dados em uso na cidade... quer dizer... ele trabalhou muito bem...

Mas o padre buscava na memória aquele som distante:

— Ogum... Já ouvi isso...

Assim são esses negros, explicava Inocêncio, usam às vezes nomes mais extraordinários, sons africanos. Padre Gomes não conhecia Isidro do Batualê, um dono de botequim nas Sete Portas?

Não, não conhecia. É mesmo, como havia de conhecer? Pois a gente encontra cada nome mais disparatado. O padrinho, aliás, nem era negro, se fosse mulato era coisa à toa, de longe, já podia passar por branco fino. E tinha esse nome de negro cativo, Antônio de Ogum. Inocêncio conhecia uma Maria de Oxum, vendia mingau na ladeira da Praça.

O padre Gomes chegou na porta a separar a sacristia da nave da igreja, espiou. Crescera a afluência de gente, agora, juntavam-se, às baianas de saia rodada, mulheres da vida de rosto contrito. O padre sentiu pesar-lhe no peito a suspeita de algo indefinido e impreciso. O nome do padrinho recordava-lhe qualquer coisa distante em sua memória, não conseguia localizar. Mas tranquilizou-se ao ver Inocêncio tão descansado e sem receio. Não sabia ele ser aquela tranquilidade do sacristão apenas aparente. Morria, em verdade, de medo: e se o padre Gomes conhecesse Artur da Guima? Haveria de querer saber a causa dessa troca de nomes, por que Artur da Guima virara Antônio de Ogum.

Fora Ipicilone o primeiro a exigir. Andava muito suscetível, não queria ser enganado, requeria a maior correção em todos os detalhes daquele assunto. E, quando expôs suas dúvidas, teve o apoio geral. Segundo ele, se o nome dado como o do padrinho fosse Artur da Guima esse seria para sempre oficialmente o padrinho da criança mesmo não o sendo em verdade, estando apenas ali como cavalo de Ogum. Mas apenas umas quantas pessoas o sabiam e, com o passar do tempo, o fato seria esquecido, o menino cresceria e para ele seu padrinho havia de ser Artur da Guima. Não era mesmo?

O próprio Artur da Guima concordou. Deviam dar o nome de Ogum, isso sim. Mas, como fazê-lo? Mais uma vez Jesuíno Galo Doido solucionou a questão. Ogum não era santo Antônio? Pois então: era só dar o nome completo, Antônio de Ogum. O único senão era o fato de Inocêncio conhecer Artur da Guima. Curió, a quem o sacristão devia a saúde e a ilibada reputação, ficou encarregado de procurá-lo e expor-lhe o assunto.

Vacilou Inocêncio, terminou com acumpliciar-se com eles. Como negar-lhes sua solidariedade se era devedor a Curió? Apenas temia conhecesse o padre a Artur da Guima. Consultado, Artur declarou não ter certeza. Não sabia se o padre reparara nele; ele, sim, conhecia muito bem o reverendo. O jeito era correr o risco. Por via das dúvidas, Inocêncio preparou logo a certidão de batismo. E lá figurava: padrinho — Antônio de Ogum.

Na porta a comunicar a sacristia com a igreja, padre Gomes via a afluência crescer. Chegava gente a cada momento. Entre os presentes pareceu-lhe inclusive reconhecer o dr. Antonino Barreiros Lima, do Instituto Histórico, nome ilustre da Faculdade de Medicina. Teria vindo também para o batismo do filho do negro Massu?

Estava na hora de paramentar-se para a missa, à qual sucediam-se os batizados. No largo, visto através da porta da igreja, aparecia como uma pequena procissão, baianas, homens e mulheres, e ruído de vozes. Devia ser a gente do batizado. Vinham lentamente. O padre deu-se pressa, estava atrasado.

Inocêncio lhe disse, enquanto o ajudava:

— Vai ser uma festa falada...

— Qual? Que festa?

— A desse batizado. É dona Tibéria quem paga as despesas. Ela, Alonso do armazém, Isidro e outros amigos de Massu. Vai ser um caruru de arromba. Eu até queria falar com o senhor: hoje à tarde não vou poder estar aqui, fui convidado para o almoço.

— Tem alguma coisa marcada?

— Nada, não senhor.

— Então pode ir. Eu só queria era saber o que me recorda o nome desse tal padrinho...

Ficou um segundo pensando, antes de tomar do cálice e dirigir-se ao altar. Murmurou baixinho:

— Ogum... Ogum...

Ogum vinha atravessando o largo, num passo de dança, estava na maior vadiação, disposto como nunca, soltou um grito que abalou as janelas dos velhos casarões e fez estremecerem-se todas as baianas concentradas na igreja. O menino sorria nos braços de Tibéria, negra Veveva vinha devagar ao lado de Ogum, Massu, vestido com um terno quentíssimo de casimira azul, resplandecia de vaidade e suor, Ogum arrancou-se das mãos de Doninha, adiantou-se para a escadaria da igreja.

7

Na véspera do batizado, Tibéria, Massu e Artur da Guima dormiram no axé. Mãe Doninha avisara, com antecedência, da necessidade dos três — a madrinha, o pai e o cavalo de Ogum — fazerem bori, limpando o corpo e dando de comer à cabeça, ao santo.

Chegaram no começo da noite, esvoaçavam as sombras

pelo caminho de São Gonçalo, baixando sobre as ladeiras de mistério, esconderijos de Exu. Exu se fazia ver por entre o mato cerrado, ora como um negro adolescente e fascinante, ora como um velho mendigo de bordão. Sua risada matreira e gozadora ressoava nos cipós e nos matos dos arbustos, no vento fino do crepúsculo.

Não chegaram sós, os três convocados, vieram com eles os amigos, todo o rancho desejava assistir à cerimônia. Mãe Doninha convidara algumas feitas da casa, escolhidas a dedo, para ajudarem, e elas distribuíam-se pela roça, preparavam os banhos de folha, acendiam o grande fogão a lenha, amolavam as facas, espalhavam folhas de pitangueira nos pisos dos quartos e salas recém-varridos. Dispunham tudo para a solene obrigação, o bori.

Mas, além dessas escolhidas, várias outras apareceram, trazidas pela curiosidade, e um rumor de conversas e risos enchia o terreiro como se fora véspera de grande festa anual, obrigatória no calendário do axé, festa fundamental, de Xangô ou Oxalá, de Oxóssi ou Iemanjá.

Pouco depois das sete horas da noite mãe Doninha, arrenegando sobre a necessidade de madrugar no dia seguinte, fez soar o adjá, reuniram-se todos em casa de Ogum. Alguns sobraram, ficaram do lado de fora, era gente demais.

A mãe de santo abriu caminho entre os visitantes:

— Ninguém chamou, vieram porque quiseram. Agora que se arranjem...

Artur da Guima e Massu já aguardavam na camarinha propriamente dita, quarto onde eram depositados os fetiches do santo, seus paramentos, suas ferramentas, sua comida, tudo quanto lhe pertencia. O negro e o artesão haviam tomado o banho de folhas, numa primeira limpeza do corpo contra o mau-olhado, a inveja e qualquer outra carregação incômoda. Vestiam roupa limpa e branca: Artur de pijama, Massu de calça e camisa. Estavam sentados nas esteiras colocadas no peji.

Tibéria, também recém-saída do banho de folhas, atravessava atrás da ialorixá. Envolta num robe grande como a cobertura de um circo, reluzente de alvura, cheirava a ervas do mato e a sabão de coco. Ficou numa saleta ao lado da camarinha, onde uma arca antiga e bela guardava as roupas do santo. Sentou-se na esteira, suas banhas espalharam-se soltas de qualquer cinta ou espartilho, era como um monumento, plácida e prazenteira. Jesus, seu esposo, confundindo-se discretamente com os demais espectadores, sorriu na satisfação de vê-la assim tão repousada.

Ressoou o adjá. Mãe Doninha tomou dos lençóis, um a um. Primeiro cobriu os dois homens, os lençóis caindo dos ombros até os pés. Depois, a mulher. Estavam os três sentados na posição ritual, as plantas dos pés voltadas para a mãe de santo, as mãos também. Doninha acomodou-se num tamborete e suspirou, muito trabalho a esperava. Puxou uma cantiga, as filhas de santo respondiam num coro quase em surdina, o canto nagô saudava Ogum.

Ocupou-se então da água. Água pura nas quartinhas de barro. Derramou um pouco no chão, molhou os dedos, tocou os pés, as mãos e a cabeça primeiro dos homens, depois da mulher. Cortou então os obis e orobôs, um obi e dois orobôs por pessoa, e separou certos pedaços para o jogo, outros pedaços deu aos três para mastigar.

Ogum respondeu ao jogo e declarou estar pronto para o dia seguinte. Doninha podia ficar tranquila, tudo ia correr bem, ele a sentia inquieta, queria tranquilizá-la. Recomendou apenas, e o fez enfática e insistentemente, que não deixassem de fazer, bem cedo pela madrugada na hora de o sol raiar, o despacho de Exu, seu padê. Para ele não vir perturbar a festa. Andava Exu solto pelas vizinhanças naquela noite, assustando as gentes dos caminhos, era necessário tomar cuidado com ele. Mas, precavida e experiente, já mãe Doninha separara uma galinha-d'angola para sacrificar a Exu antes do padê, apenas rompesse a aurora do dia do batizado. O próprio Exu havia, dias antes, escolhido o animal. Ogum desejou felicidades a todos, sobretudo a seu compadre Massu, e retirou-se para voltar quando a comida estivesse pronta.

Foram então sacrificadas as galinhas, o sangue dos animais limpou a cabeça dos homens e da mulher. Estavam preparados para o dia seguinte, aliviados de todo o mal.

No intervalo, enquanto filhas de santo cozinhavam a comida do orixá, conversaram de coisas diversas, evitando falar da cerimônia. Finalmente a comida foi servida — xinxim de galinha, abará, acarajé — primeiro para o santo, seus pedaços preferidos, em seguida para Massu, Artur e Tibéria, finalmente, na sala de jantar, para todos os demais. Havia comida à vontade e Jesus trouxera dois engradados com cerveja, refrigerantes e umas garrafas de vinho doce. Demoraram-se ainda algum tempo conversando, porém mãe Doninha recordou-lhes a trabalheira a esperá-la no dia seguinte e muito cedo.

Na camarinha e na saleta, aos pés de Ogum, envoltos nos lençóis, marcados pelo sangue dos animais sacrificados, com penas de galinha presas com sangue nos dedos dos pés, das mãos e na testa, comida do santo metida entre os cabelos no meio da cabeça, tudo amarrado com um pano branco, Massu, Artur e Tibéria estavam deitados. Artur ressonava, Massu roncava, apenas Tibéria ainda se mantinha acordada. Coberta com o lençol, aquele estranho albornoz na cabeça, os colares sobre o peito imenso, um sorriso nos lábios.

Os amigos haviam pleiteado dormir no axé, mas Doninha não consentira. Nada de grande acompanhamento na caminhada para a igreja. Quanto menos gente fosse com Ogum, melhor: não chamaria a atenção. Abriu exceção apenas para Jesuíno: mandou estender para ele uma esteira na sala de jantar. Homem de saber e prudência, podia ser-lhe útil se algo de inesperado acontecesse. Apressada, despedia Martim e Pé-de-Vento, Ipicilone e Curió. Martim ficara encarregado de conduzir, com a ajuda de Otália, a negra velha Veveva e a criança até a igreja. Marcaram o encontro para o dia seguinte, às sete da manhã, no largo do Pelourinho.

Nada adiantaram, no entanto, as determinações da mãe de santo, pois pela madrugada, antes do nascer do sol, já os caminhos do axé estavam sendo palmilhados por filhas de santo, equedes e ogãs, negros, mulatos e brancos, todos querendo participar desde o começo. Não somente os do terreiro da Meia Porta, ali feitos ou levantados. Não somente os do rito jeje-nagô, o do axé. Vinham de todas as casas de santo, das queto e das congo, dos terreiros de angola e dos candomblés de caboclo. Gente da seita, sem distinção, ninguém desejava perder o espetáculo inédito de um orixá entrando na igreja para batizar menino. Nunca se ouvira falar de coisa parecida. Subiam, apressados, as ladeiras de orvalho e sombras, entre as quais vagabundava Exu, menino vadio e sem jeito, à espera de seu padê.

Filhas de santo largavam seus tabuleiros de acarajé e abará, suas latas de mingau de puba e tapioca, suas frigideiras de aratu, desertavam nas esquinas da cidade, faltavam à freguesia. Outras abandonavam, por acender, os fogões das casas ricas onde exerciam a arte suprema da cozinha. Ou esqueciam deveres e compromissos familiares. Tocavam ladeiras acima, vestidas com seus mais coloridos trajes de baianas, as feitas de Ogum particularmente ataviadas. Por vezes com filhos pequenos enganchados na cintura.

Compareceram também personalidades importantes. O babalaô Nezinho, de Maragogipe, tão consultado por mães e pais de santo. Viera especialmente para presenciar o insólito acontecimento. Chegara num táxi em companhia do não menos conhecido pai Ariano da Estrela-Dalva, cujo caboclo não estava gostando muito daquela história. Viera Agripina de Oxumarê, vendedora de mingau na ladeira da Praça, grande e formosa mulher, cor de cobre, perfeita de corpo. Seu santo descia em qualquer terreiro desde o desaparecimento do Candomblé da Baixada, onde seu Oxumarê gritara o nome doze anos antes, sendo ela menina. Era essa formosa Agripina um portento na dança, dava gosto vê-la com o santo, a dançar com o ventre rastejando na terra, serpente sagrada. Uma bailarina de teatro do Rio copiara suas danças e com elas obtivera sucesso e elogios da crítica.

Muito cedo levantara-se Doninha, ainda era noite, e chamara por Stela, sua mãe-pequena. Acordaram depois algumas filhas. Deviam fazer o despacho de Exu. O ronco de Massu, no peji, lembrava o apito de uma caldeira. Doninha, acompanhada de Stela e das filhas, dirigiu-se à casa de Exu. Uma iaô fora buscar o tou-fraco.

Voltou alarmada: a galinha-d'angola fugira. Conseguira, só Deus sabe como, desprender-se do cordão a amarrá-la a uma goiabeira e desaparecera na roça, sumira.

Na mesma hora quando relatava o acontecido a Doninha, uma risada de mofa, longa e cínica, fez-se ouvir no mato. A mãe de santo e Stela trocaram um olhar, as filhas estremeceram. Quem podia estar rindo assim, descaradamente, senão o próprio Exu, o orixá mais discutido, moleque e sem juízo, gozador, gostando de pregar peças? Tantas e quantas já fizera a ponto de ser confundido com o diabo. Enquanto cada um dos orixás era um santo de Deus — Xangô, são Jerônimo; Oxóssi, são Jorge; Iansã, santa Bárbara; Omolu, são Lázaro; Oxalá, Senhor do Bonfim, e assim por diante —, Exu não era santo nenhum, e gente sem grandes conhecimentos na seita acusava-o de ser o demônio. E todos o temiam e para ele era sempre a primeira cerimônia de todas as festas e as primeiras cantigas.

Ele pedira um tou-fraco, iria contentar-se com outro animal? Ou ficaria contrariado?

Mãe Doninha mandou buscar três pombas brancas guardadas numa gaiola. Esperava com elas aplacar Exu. Sacrificou-as pedindo-lhe que as aceitasse em lugar da galinha-d'angola. Exu parecia estar de acordo, pois não se ouviu mais sua risada e o ambiente ficou calmo. Feito o padê, Doninha retornou ao peji de Ogum para a última parte do bori, para retirar os lençóis das cabeças, as penas dos pés e das mãos, a comida do santo do meio dos cabelos.

Quando, acompanhada de Massu, Tibéria e Artur da Guima, penetrou Doninha no barracão, ainda nas névoas da antemanhã, deparou com aquele mundo de gente. Parecia data de grande festa, das assinaladas com vermelho no calendário do axé. A mãe de santo fechou a cara, não gostou. Previra levar Ogum acompanhado apenas de quatro a cinco feitas, além dela mesma. E agora encontrava ali aquela multidão ruidosa, excitada. Sem falar na ave fugida pela noite, na risada de Exu. Balançou a cabeça, preocupada. Sabia dos comentários nos meios de macumba: muitos a criticavam por ter assumido responsabilidade em empresa tão discutível. Quem sabe, teriam razão. Mas agora era tarde: ela começara, iria até o fim. Ao demais, apenas obedecia às ordens do orixá. Ogum havia de ajudá-la.

Assim, atravessou o barracão de cabeça erguida, foi direta para a cadeira de braços em cujo espaldar estava amarrado um laço de fita vermelha, a cor de Xangô, cadeira onde só ela podia sentar-se, símbolo de seu posto e sua qualidade. Ali recebeu os cumprimentos de Nezinho e de

Ariano, e os convidou a sentarem-se a seu lado. As filhas vieram rojar-se no chão, beijar-lhe a mão.

Os atabaques soaram, a roda se formou. E, como se houvesse uma decisão anterior, um acerto geral, filhas de santo de outros terreiros tomaram lugar na roda ao lado das feitas e das iaôs da casa. Tudo naquele dia era diferente, observou Nezinho impressionado, mas as mudanças no ritual conservavam um ritmo perfeito, como se obedecessem a uma ordem anteriormente estabelecida pela mãe de santo. Apenas Doninha sentia-se inquieta, não haviam obedecido a decisões suas tais mudanças.

Doninha puxou a primeira cantiga, as filhas responderam. No meio da roda, Artur da Guima começou sua dança. Havia uma excitação geral, as feitas cutucavam-se, riam por um nada, e apenas a roda moveu-se e as primeiras cantigas foram tiradas e já descia uma Iansã aos pinotes, atirando a iaô contra as paredes, violenta. Seu grito de guerra acordou os pássaros ainda dormidos, dissipou o resto da noite. As filhas de santo aplaudiam, a dança crescia em rapidez. Havia no ar, e a mãe de santo o sentia, uma excitação incomum, tudo podia suceder.

Mãe Doninha despachou Iansã: ninguém a chamara ali, não era nem festa sua nem obrigação, Iansã desculpasse mas fosse embora. Ela, porém, não queria obedecer, andava de um lado para outro e gritava exaltada. Teimava em ficar e em dançar, pronta para acompanhar Ogum à igreja e até a substituir Tibéria como madrinha, se fosse necessário. Mãe Doninha teve de usar de toda sua sabedoria e de todo seu poder.

Finalmente despediu-se Iansã mas, apenas partira, protestando, e já caíam em transe duas outras filhas: uma de Nanã Burucu, a segunda de Xangô. Para evitar complicações, Doninha concedeu-lhes uma dança, uma só, e as mandou recolher à camarinha. Depressa, pois a Iansã ameaçava retornar. Foi preciso retirar as três do barracão, levá-las para a casa das santas fêmeas, as iabás.

E a animação aumentava, as filhas de santo dançavam num entusiasmo, a orquestra crescia nos toques, Agripina volteava leve e formosa. Mãe Doninha sentia-se um pouco nervosa. Tudo deveria transcorrer calmo e quase em segredo e não naquele desespero de dança, com a casa cheia de gente, tudo ao contrário do acerto feito com Ogum. O santo não desejava espalhafato, nem muita gente, nem rebuliço. E por que tardava ele em descer? Se demorasse mais, começariam os santos a chegar e, quando estivessem seis ou oito no barracão, como iria ela, Doninha, poder controlar tanto orixá, dominá-los, mandá-los de volta? Impossível. Nem mesmo com a ajuda de Nezinho e a de Jesuíno, nem com a colaboração de Saturnina de Iá, a mãe do Bate Martelo, naquele instante atravessando a porta do barracão com três filhas de santo.

No meio da roda, Artur da Guima dançava, a idade já não lhe permitia grandes arrojos, mas sua dança era plena de dignidade. Doninha decidiu-se: abandonou sua cadeira de braços, veio dançar ao lado de Artur.

Todos os presentes puseram-se de pé e com as mãos espalmadas saudavam a mãe do terreiro. Todas as feitas vieram para a roda dançar. Inclusive Saturnina de Iá e suas três filhas.

Doninha segurava as ferramentas de Ogum e com elas atingiu levemente o cangote de Artur. O artesão estremeceu o corpo todo. Tocou-lhe então o meio da cabeça e Artur da Guima vacilou como sacudido pela ventania.

Sempre dançando em torno ao filho de santo, Doninha desamarrou da cintura seu pano da costa, enlaçou Artur e o obrigou a dançar a seu lado, preso a ela, em seu ritmo. Artur tremia, agitava-se como se recebesse descargas elétricas. Dançando, a mãe do axé tocava-lhe a cabeça, o pescoço e o peito com as ferramentas de Ogum. A orquestra desesperava-se no toque do santo.

De repente, Artur da Guima arrancou-se dos braços de mãe Doninha e foi-se aos trancos pelo barracão. O santo chegava finalmente, vinha brabo e terrível, jogava com o seu cavalo de um lado para outro. Artur gemia e gargalhava, batia-se pelas paredes, rolou no chão, jamais se vira Ogum tão tremendo, tão devastador. Mãe Doninha acorreu e o ajudou a levantar-se.

Numa tempestade de risos, o santo atirou longe os sapatos de Artur, foi lá fora saudar o mato, atravessou depois o barracão para saudar a orquestra, no outro extremo. Como um tufão.

E dançou. Dançou bonito como quê. Uma dança festiva, floreada, dança guerreira de Ogum, mas modificada, cheia de picardia e virtuosismo. Artur da Guima estava liberto do peso da idade e das noites insones nas mesas de jogo, era um jovem em plena força, batendo com os pés no chão, volteando rápido e rápido, numa dança de combate e saudação. Veio e abraçou mãe Doninha, apertando-a contra seu peito. Ela desprendeu-se, admirada de tanto entusiasmo da parte de Ogum. Estava ele emocionado com essa história de ser padrinho de menino, via-se logo. Abraçou Massu, dançou diante dele numa alta prova de amizade. Abraçou Nezinho, Ariano da Estrela-Dalva, Saturnina de Iá, Jesuíno Galo Doido, Tibéria. Foi até a roda e ali dançou diante de Agripina, tomou-a consigo e beliscou-lhe o cangote. A moça riu nervosa, Doninha espantou-se: nunca vira daquilo, orixá beliscando feita.

Quando a orquestra silenciou, o encantado andou de um lado para outro, terminou por colocar-se ante a mãe de santo e por exigir suas vestimentas de festa. Queria as roupas mais ricas e formosas, suas ferramentas também.

Vestimentas de festa? Ferramentas? Estava ele, por acaso, maluco? Mãe Doninha punha as mãos nas cadeiras, a perguntar. Então não sabia ser impossível entrar na igreja com roupas de festa, brandindo seus ferros?

O santo batia com o pé no chão, teimoso, entortava a boca, reclamava suas roupas. Com paciência e firmeza, a ialorixá explicava-lhe; ele bem sabia o motivo por que descera naquela manhã, rompendo o calendário. Fora ele próprio, Ogum, a decidir sobre o batizado do filho de Massu, a nomear-se padrinho. Por que começava então com aquela besteira de roupas de festa, de ferramentas? Tinham de ir para a igreja, já era hora e ele tratasse de se comportar para que o padre, o sacristão, o pessoal da missa, ninguém desconfiasse da tramoia, ninguém desmascarasse Artur da Guima. Tinha de entrar bem direitinho, o mais discreto possível, sem fazer barulho, sem deixar transparecer sua presença. Só assim seria possível batizar o menino. Já pensara na cara do padre se desconfiasse da identidade do verdadeiro padrinho? Não haveria batizado nenhum, o menino continuaria pagão, sem padrinho a apresentar.

O orixá pareceu concordar. Na igreja, quando lá chegassem — disse —, seu comportamento seria exemplar, ninguém duvidaria fosse ele e não Artur da Guima a segurar a vela e a tomar da cabeça do afilhado. Mas, ali, no barracão, queria vadiar, divertir-se com seus filhos e filhas, com os amigos presentes, com seu compadre Massu. Queria dançar, Doninha devia ordenar as cantigas, os toques da orquestra. Vamos, depressa.

Mas Doninha nem isso lhe concedeu. Estavam atrasados, deviam partir. Nem mais uma dança, nem sequer uma cantiga. O tempo corria e tinham de vencer um bom pedaço de caminho, metade a pé, metade de bonde. O encantado, porém, batia os pés, andava de um lado para outro, ameaçava.

Doninha zangou-se: que ele fizesse como melhor entendesse, mas depois não culpasse ninguém pelos resultados. Dançasse quantas danças quisesse, vestisse as roupas de festa, deixasse o tempo escoar-se. Apenas não contasse mais com ela. Fosse sozinho para a igreja, se arranjasse.

Diante de tais ameaças, ele concordou de má vontade. Ainda assim foi uma dificuldade convencê-lo a pôr os sapatos. Não queria de jeito nenhum. Orixá calçado de sapatos, onde se viu? Chegaram a um acordo: ele se calçaria ao chegar ao bonde.

No caminho para a parada do bonde, por três vezes foi necessário ir buscá-lo no mato, arrancava-se do grupo e fugia. Cada vez mais inquieta, mãe Doninha fazia promessas ao Senhor do Bonfim para que tudo corresse bem. Nunca ouvira Ogum assim, tão absurdo, tirado a gaiato. Mesmo levando em conta as circunstâncias, o fato de pela primeira vez dirigir-se um orixá a uma igreja católica para batizar um menino, mesmo assim.

8

BONDE TÃO COLORIDO e alegre como aquele vindo dos lados do Cabula, por volta das seis e pouco da manhã, jamais correra sobre os trilhos na cidade do Salvador da Bahia de Todos os Santos. Dirigia-se para a baixa do Sapateiro, lotado de filhas de santo com suas saias coloridas, suas anáguas engomadas, seus torsos, colares e pulseiras. Como se fossem para uma festa de candomblé.

No meio delas um sujeito irrequieto, com jeito de bêbado, a querer dançar em cima do banco. Uma tia gorda tentava controlar o impulsivo e divertido boêmio. Passantes reconheciam nela a mãe de santo Doninha.

O motorneiro, negro forte e jovem, perdera o controle do veículo e pouco se preocupava com isso. Ia o bonde ora numa lentidão de lesma, como se não existissem horários a obedecer, como se o tempo lhe pertencesse por inteiro, ora em alta velocidade, comendo os trilhos, rompendo todas as leis do trânsito, numa urgência de chegar. O condutor, mulato zarolho de cabelo espetado, tocava a campainha sem quê nem porquê, em ritmo de música de santo. Pendurado no estribo, recusava-se a cobrar as passagens. Nezinho quisera pagar para todo mundo, o condutor devolvera o dinheiro. "Tudo de graça, por conta da Companhia", dizia a rir, como se houvessem tomado o poder, assumido o controle da Circular, os motoristas e condutores, os operários das oficinas. Como se naquela manhã tivesse sido decretado o estado de alegria geral e de franca cordialidade.

Os acontecimentos, iniciados no axé, precipitavam-se. Uma atmosfera azul cobria a cidade, a madrugada permanecia no ar, a gente ria nas calçadas.

Desceram do bonde na baixa do Sapateiro, encaminharam-se para a ladeira do Pelourinho. Era uma pequena aglomeração em cores vivas, logo aumentada de curiosos e passantes.

O bonde ficou vazio, largado nos trilhos, pois também o condutor e o motorneiro, num mesmo impulso, abandonaram o veículo e aderiram ao cortejo. Com isso iniciou-se o congestionamento de trânsito a criar tanta confusão na cidade, perturbando o comércio e a indústria. Alguns chóferes de caminhão largaram, na mesma hora e sem combinação prévia, seus pesados veículos nas Sete Portas, em frente ao Elevador Lacerda, nas Docas, na estação da Calçada, no ponto de bonde de Amaralina, nas Pitangueiras e em Brotas, e dirigiram-se todos para a igreja do Rosário dos Negros. Três marinetes cheias de operários decidiram pelo feriado, em rápida assembleia, e vieram para a festa.

O orixá subiu o Pelourinho em meio à maior agitação. Indócil, tentando arrancar-se das mãos de Doninha, experimentando passos na rua. De quando em quando, soltava sua gargalhada, porreta, ninguém resistia, riam todos com ele. "Onde estavam suas solenes promessas?" — perguntava Doninha, mas ele nem ligava, era o dono da cidade.

No largo encontraram-se os dois cortejos, vindo o de Ogum da baixa do Sapateiro, chegando o de Veveva do Terreiro de Jesus.

O do encantado, com mães e filhas de santo, babalaôs e ogãs, com três obás de Xangô, com o motorneiro, o condutor, choferes diversos, dois guardas-civis e um soldado do exército, Jesuíno Galo Doido, o escultor Mirabeau Sampaio e dona Norma, sua esposa, ele de branco e compenetrado como um bom filho de Oxalá, ela muito animada, abraçando conhecidas — e conhecia todo mundo —, querendo tirar passos em frente do santo. E o povo em geral, sem contar os moleques.

E o cortejo do menino e da negra velha Veveva. Na frente uma carroça com a negra, a criança e Otália. Atrás Martim, Curió, Pé-de-Vento, Ipicilone, os vizinhos todos do negro Massu, o pessoal da capoeira de Valdemar, gente do Mercado Modelo, Didi e Camafeu, Mário Cravo com mestre Traíra, saveiristas e putas, uma orquestra inteira de cavaquinhos e harmônicas, Cuíca de Santo Amaro e a célebre cartomante madame Beatriz, recém-chegada à cidade e recomendada a Curió.

O encontro foi bem em frente à Escola de Capoeira de Angola e mestre Pastinha e Carybé ajudaram a negra velha

Veveva a descer da carroça. Tibéria, toda em seda e rendas, quilômetros de renda sergipana, tomou o menino nos braços, era a madrinha. Martim ofereceu a mão a Otália e a moça saltou num pulo elegante, aplaudido por alguns moleques. O orixá ria numa gaitada gozada.

Adiantou-se, veio dançando, ah!, dança retada!, de saudação e amizade. Veio dançando, colocou-se quase em frente da negra velha Veveva como quem fosse abraçá-la, mas ela, ali na rua, atirou-se no chão, bateu com a cabeça nas pedras, homenageando o santo. Ele estendeu a mão e levantou a velha tia, apertou-a contra o peito três vezes. Doninha suspirou, aliviada: era Ogum, sim, tratara a negra velha com respeito e carinho. Ainda bem. Mas, na igreja, como se comportaria? Nunca ela esperara aquilo de Ogum. Fora enganada.

Veio o orixá dançando, rodeou Tibéria, aproximou-se mais, deu um grito rouco, sacou de sob a camisa uma ferramenta escondida — não era ferramenta de Ogum — e com ela tocou a cabeça do menino. O cortejo avançou para a escadaria da igreja. Novas dúvidas perturbavam Doninha, por que Ogum beliscava Tibéria na bunda, por que essa falta de respeito? Num esforço adiantou-se a mãe de santo disposta a tudo fazer para evitar um escândalo. Jesuíno ia a seu lado e participava de seus pressentimentos.

No alto da escadaria, passando entre a gente de mãos estendidas com as palmas voltadas para a frente, a saudá-lo, o orixá soltou sua risada, tão grotesca e cínica, tão de pouco-caso e molecagem, que não apenas Doninha como também Nezinho, Ariano — cujo caboclo não gostava daquela história e temia por seu sucesso —, Vivaldo, Valdeloir Rego e outros importantes da seita compreenderam. Os peitos encheram-se de temor. Só a criança, nos braços fortes de Tibéria, sorria num enlevo para o irrequieto orixá.

9

Quando o orixá atravessou com seu cortejo a porta da igreja do Rosário dos Negros, padre Gomes, na sacristia, terminada a missa, retirava os paramentos, perguntava a Inocêncio se a gente do tal batizado já estava a postos. Desejava terminar quanto antes, tinha uma úlcera e não podia ficar até tarde sem alimentar-se.

Inocêncio, um tanto alarmado com o movimento incomum na igreja, com a barulhenta multidão no largo, saiu para providenciar. Foi nesse momento exato que o órgão deixou escapar um som rouco, apesar de estar trancado e de não se encontrar ninguém no coro.

Intrigado, padre Gomes veio até a porta, olhou para os altos de sua igreja, o coro vazio, o órgão trancado. Aparentemente tudo estava calmo, apenas a igreja, mesmo com a missa finda, continuava cheia, superlotada. Com a idade, pensou padre Gomes, dera para ouvir sons inexistentes. Balançou a cabeça, numa melancólica constatação, mas logo interessou-se pelos fiéis. Baianas com seus trajes festivos, tanta cor a romper a meia-luz do templo; homens vestidos com ternos azuis ou com fitas azuis na botoeira dos paletós, gente muita. Padre Gomes considerou valer mais a boa amizade do que a riqueza e a posição social.

Batizava-se o filho de um negro pobre, um vagabundo, e a concorrência era de batizado de filho de banqueiro ou de político governista, maior até, mais sincera com certeza.

Em torno da pia batismal havia-se reunido pequeno grupo composto pelo encantado e Tibéria, Massu, Veveva, Doninha, Otália, Jesuíno Galo Doido, cabo Martim, Pé--de-Vento, Curió, uns poucos mais.

Das imediações, o povaréu espichava os pescoços para ver. No largo, acotovelavam-se os muitos que não conseguiram entrar na igreja e cada vez chegava mais gente, vinham de toda a cidade, traziam instrumentos de música e disposição para brincar. O orixá executava uns passos, ria risinhos de mofa, ameaçava sair dançando pela nave, Doninha tremia de medo. Assim os pais e mães de santo presentes, a saber tudo quanto se passava, eles e Galo Doido. Desde o momento da entrada na igreja sabiam eles a terrível verdade.

Padre Gomes andou para a pia, Inocêncio entregava a vela com enfeites azuis ao padrinho. O sacerdote fez um agrado no rosto da criança sempre a fitar o encantado e a sorrir contemplou o grupo em sua frente.

— Quem é o pai?

Negro Massu compareceu, modesto:

— É aqui o porreta, seu padre...

— E a mãe?

— Deus levou...

— Ah!, sim... Desculpe... A madrinha?

Botou os olhos em Tibéria, de alguma parte a conhecia. De onde? Com aquela fisionomia bondosa, face a refletir alma pura e generosa, só podia conhecê-la da igreja. Sorriu-lhe com aprovação e de repente lembrou-se de quem se tratava. Mas não lhe retirou o sorriso, tão cândida e devota era a face de Tibéria.

— E o padrinho?

O padrinho estava evidentemente bêbado, pensou o padre. Os olhos brilhavam, balançava o corpo de um lado para outro, ria por entre os dentes, risadas curtas e enervantes. Era o tal homem de nome estrambólico, o artesão da ladeira do Tabuão. Muitas vezes o sacerdote o vira em sua porta de trabalho, nunca imaginara possuísse ele nome tão extravagante. Como era mesmo? Um nome de negro escravo. Fitando-o com grave olhar de censura, perguntou-lhe:

— Como é mesmo seu nome?

Outra coisa não parecia estar esperando o sujeito. A gaitada mais solta e cínica, mais zombeteira, ressoou na nave, atravessou a igreja, ecoou no largo, espalhou-se pela cidade inteira da Bahia quebrando vidros, acordando o vento, levantando a poeira, assustando os animais.

O orixá deu três saltos, gritou anunciando:

— Sou Exu, quem vai ser padrinho sou eu. Sou Exu!

Não houve antes nem haverá depois um silêncio parecido. Na igreja, na rua, no Terreiro de Jesus, na ladeira da Montanha, no Rio Vermelho, em Itapagipe, na estrada da Liberdade, no Farol da Barra, na Lapinha, nos Quinze Mistérios, na cidade toda.

Ficaram todos parados ali e em toda parte. Apenas Ogum errava pela igreja, num desespero. E o silêncio e a imobilidade.

Foi quando se viu o mais inesperado e extraordinário. O padre Gomes estremeceu dentro de sua batina, saltou de seus sapatos, vacilou nas bases, rodopiou um pouco, semicerrou os olhos.

Jesuíno Galo Doido prestou atenção. Seria verdade o que seus olhos estavam vendo? Doninha, Saturnina, Nezinho, Ariano, Jesuíno, alguns outros, davam-se conta mas não se amedrontaram, viviam na intimidade dos orixás.

O padre murmurava qualquer coisa, mãe Doninha, respeitosamente, colocou-se a seu lado, e disse uma saudação em nagô.

Atrasara-se Ogum naquela manhã do batizado, tivera demoradas obrigações na Nigéria e uma festa de arromba em Santiago de Cuba. Quando chegara apressado ao barracão do Axé da Meia Porta, encontrara seu cavalo Artur da Guima montado por Exu, seu irmão irresponsável. Exu ria dele e o imitava, queixava-se de não lhe haverem dado o prometido, uma galinha-d'angola. Por isso preparava-se para provocar o escândalo e terminar com o batizado.

Como um louco, Ogum atravessou a cidade da Bahia em busca de um filho seu em quem descer para repor as coisas em seu lugar, expulsar Exu e batizar o menino. Primeiro procurou pelo axé, não havia nenhum. Filhas, sim, muitas estavam por ali, mas ele necessitava de um homem. Foi ao Opô Afonjá em busca de Moacir de Ogum, o rapaz andava para as bandas de Ilhéus. Foi noutros terreiros, não encontrou ninguém. Saiu desesperado pela cidade, enquanto Exu fazia estripulias no bonde. O motorneiro era de Omolu, o condutor era de Oxóssi. O soldado de Oxalá, Mário Cravo também de Omolu, ninguém era de Ogum. Ainda agora, no largo, assistira aos destemperos de Exu. Vira como ele enganara a todos, como aplacara as desconfianças de Doninha, ao levantar Veveva do chão com delicadeza e respeito.

Entrou, na maior das aflições, atrás dele na igreja. Queria falar, desmascarar Exu, tomar seu lugar, mas como fazê-lo se não havia um só cavalo seu, macho, a quem cavalgar?

Rodou pelos quatro cantos do templo enquanto o padre se aproximava e iniciava seu interrogatório. E, de súbito, ao fitar o sacerdote, ele o reconheceu: era seu filho Antônio, nascido de Josefa de Omolu, neto de Ojuaruá, obá de Xangô. Nesse podia descer, estava destinado a ser seu cavalo, não fizera as obrigações no tempo devido mas servia numa emergência como aquela. Sagrado padre, de batina, mas nem por isso menos seu filho. Ao demais, não havia jeito nem escolha: Ogum entrou pela cabeça do padre Gomes.

E, com mão forte e decidida, aplicou duas bofetadas em Exu para ele aprender a comportar-se. O rosto de Artur da Guima ficou vermelho com a marca dos tapas. Exu compreendeu ter chegado seu irmão, estar acabada a brincadeira. Fora divertido, estava vingado da galinha-d'angola prometida e escamoteada. Rapidamente abandonou Artur, numa última gaitada, e foi-se esconder atrás do altar de são Benedito, santo de sua cor.

Quanto a Ogum, tão depressa entrara mais depressa saiu, largou o padre e ocupou seu antigo e conhecido cavalo, no qual devia ter chegado à igreja se Exu não atrapalhasse: Artur da Guima. Foi tudo tão rápido, somente os mais entendidos deram-se conta. O etnógrafo Barreiros, por exemplo, nada percebeu, apenas viu o padre esbofeteando Artur da Guima por pensá-lo bêbado.

— Não vai haver mais batizado. O padre vai botar o padrinho pra fora... — concluiu.

Mas o padre voltava a seu natural. Nada sabia de bofetadas, não se lembrava de coisa alguma, abriu os olhos:

— Tive uma tonteira...

Inocêncio acudiu aflito:

— Um copo de água?

— Não é preciso. Já passou.

E, voltando-se para o padrinho:

— Como é mesmo seu nome?

Não estava esse homem bêbado, há pouco? Pois curara a cachaça, agora firme nas pernas, erguido, parecia um guerreiro, a sorrir.

— Meu nome é Antônio de Ogum.

O padre tomou do sal e dos santos óleos.

Na sacristia, depois, na hora de assinar a certidão, no final da história, o padre cumprimentou o pai, a madrinha, a velha bisavó, a negra Veveva quase centenária, e também o padrinho.

Quando chegou a vez do padrinho, Ogum deu três passos para trás e três para a frente e veio, num requebro de dança, e por três vezes abraçou o padre Gomes, também ele Antônio de Ogum. Não importava que o padre não soubesse, mas era filho de Ogum, de Ogum das minas, do ferro e do aço, das armas embaladas, Ogum guerreiro. O orixá o apertou contra o peito e encostou o rosto no rosto do padre, seu filho dileto, merecedor.

10

Assim foi o batizado do filho de Massu. Complicado e difícil, atravessado de problemas mas a todos deu-se jeito, primeiro Jesuíno Galo Doido, homem de muita sabedoria, depois mãe Doninha e por fim o próprio Ogum.

A festa foi das maiores, na casa do negro e em toda a parte da Bahia. Onde existia uma filha de Ogum houve dança até de madrugada naquele dia. Só no largo do Pelourinho, quando saíam da igreja, Galo Doido reconheceu para mais de cinquenta Oguns, a dançarem, vitoriosos. Sem falar nos outros orixás. Desceram todos, sem exceção, para festejar o batizado do filho de Massu e Benedita.

Escondido no altar de são Benedito, Exu ainda riu por algum tempo, recordando suas estripulias. Depois adormeceu, e dormindo parecia um menino igual aos outros, quem o visse assim nem desconfiaria ser aquele o Exu dos caminhos, o orixá do movimento, tão moleque e arrenegado a ponto de o confundirem com o diabo.

Eis como Massu ficou sendo compadre de Ogum e isso lhe deu grande prestígio e importância. Mas ele continuou o mesmo negro bom de sempre, agora com sua avó centenária e seu menino.

Muita gente tem convidado, depois disso, diversos orixás para padrinho ou madrinha de seus filhos. Oxalá, Xangô, Oxóssi, Omolu são muito solicitados para padrinho, Iemanjá, Oxum, Iansã, Euá para madrinha, e Oxumaré, que é macho e fêmea, para uma e outra coisa. Mas até agora nenhum orixá aceitou, talvez com receio das molecagens de Exu. Compadre de encantado só existe um: o negro Massu, compadre de Ogum.

POSFÁCIO

O triunfo do sincretismo em Jorge Amado
Reginaldo Prandi

O compadre de Ogum poderia ter como subtítulo "Tudo o que você gostaria de saber sobre o candomblé e nem sabe como perguntar". Mas Jorge Amado não escreveu lições de candomblé. Basta que o leitor acompanhe os personagens e se deixe levar pelo enredo, que junta humanos e orixás empenhados na solução do mesmo problema: como escolher o padrinho para batizar Felício sem ferir suscetibilidades dos muitos candidatos a compadre do negro Massu, pai de Felício. E, resolvido esse primeiro problema, como realizar o batizado, que logo se mostra pouco condizente com os padrões comuns?

O batizado é católico, será realizado na igreja do Rosário dos Pretos, no Pelourinho, em Salvador. O padrinho, um orixá do candomblé. Até aí, nenhuma dificuldade excepcional. Orixá também é santo católico, um ou outro dá no mesmo. Muito católico tem Nossa Senhora como madrinha. Por que um menino que é filho de um adepto do candomblé não pode ter Ogum como padrinho? A história se passa exatamente no ponto de junção do candomblé com o catolicismo, no qual duas religiões muito diferentes se encontram, se complementam e se confundem numa mesma crença.

Quando o candomblé se formou, na Bahia do século XIX, a religião oficial do Brasil era o catolicismo, e nenhuma outra era tolerada. Todo brasileiro, fosse branco, índio ou negro, precisava ser batizado católico. Senhores, escravos e libertos tinham a mesma religião, o catolicismo, embora devessem frequentar igrejas separadas.

Antes de serem embarcados nos navios negreiros, ainda na África, os escravos costumavam ser batizados e, uma vez no Brasil, minimamente familiarizados com as práticas rituais da Igreja católica. Desse modo, os negros que introduziram no Brasil a religião dos orixás eram, por força da sociedade da época e da lei, também católicos. Acabaram por estabelecer paralelos entre as duas religiões, ao identificar, por meio de símbolos, seus feitos heroicos ou patronatos comuns: orixás com santos católicos, Jesus Cristo ou Nossa Senhora.

Ogum é o orixá da metalurgia e também o deus da guerra. Por causa do aspecto guerreiro, foi associado a santo Antônio, que na Bahia colonial teria sido o defensor da cidade contra invasões estrangeiras. A igreja de santo Antônio, localizada no alto do porto da Barra, era a fortaleza da qual o santo defendia a entrada da baía de Todos-os-Santos. Direto, destemido, inflexível e poderoso, é o personagem-título de *O compadre de Ogum*.

Oxóssi, por sua vez, é identificado com são Jorge por conta de fantásticos feitos mitológicos: o orixá da caça matou o pássaro maléfico enviado pelas Velhas Feiticeiras; são Jorge matou o dragão da maldade. Ambos livraram a humanidade de um grande sofrimento.

Xangô é o orixá do trovão, do governo e da justiça. Foi sincretizado com são Jerônimo, tradutor da Bíblia para o latim, santo também invocado quando se pede proteção contra os temporais. O poder sobre as intempéries fez de são Jerônimo o orixá Xangô e vice-versa. Iansã, uma das esposas de Xangô, divide com ele o patronato das tempestades e é cultuada como orixá do raio. Foi sincretizada com santa Bárbara, que também protege os homens do raio. Oxum, outra esposa de Xangô, é responsável pela fertilidade da mulher, pelo amor e pela beleza. Além de mulher bonita e vaidosa, é uma das grandes mães do panteão do candomblé. Foi identificada com Nossa Senhora da Conceição, mãe de Deus. Em São Paulo, com Nossa Senhora da Conceição Aparecida, a mãe negra.

O mais velho dos orixás é Nanã, que se acredita ser mãe de Omulu e Oxumarê. Vive no fundo dos lagos e seu elemento é a lama, com a qual Oxalá modelou o ser humano. Por sua idade avançada é sincretizada com Santana, mãe da Virgem Maria e avó de Jesus Cristo. Seu filho Omulu é o orixá da varíola. Protege contra doenças da pele e epidemias; é chamado de "médico dos pobres". Usa um capuz de palha da costa que o cobre da cabeça aos pés e esconde sua pele arruinada pela varíola. Omulu foi associado a santos católicos igualmente marcados pelas chagas: são Roque e são Lázaro. Oxumarê, o outro filho de Nanã, é o orixá do arco-íris, que na Terra se manifesta na forma de serpente. Por causa desse réptil é associado a são Bartolomeu, que, segundo antiga crença baiana, nos livra da picada de cobra.

Iemanjá, orixá do mar, mãe dos peixes, dos orixás e dos homens, também é sincretizada com Nossa Senhora, mãe de Jesus e dos católicos. Sua invocação como Nossa Senhora dos Navegantes, festejada em 2 de fevereiro, identifica Iemanjá como protetora dos pescadores e navegantes. É considerada pelos devotos do candomblé como a grande mãe africana do Brasil.

Oxalá, o Grande Orixá, criador do homem e da mulher, ocupa o lugar mais elevado do panteão do candomblé. É reverenciado pelos humanos e pelos demais orixás, que lhe devotam grande respeito. Só lhe cabia a equivalência com Jesus Cristo, razão de ser da religião católica. É o Senhor do Bonfim. Quando jovem, Oxalá é Oxaguiã, sincretizado com o Menino Jesus.

Acima de Oxalá está Olorum ou Olodumare, deus supremo que criou os orixás e lhes deu a tarefa de criar e governar o mundo. É sincretizado com o Deus único dos judeus, cristãos e muçulmanos. Olorum, porém, é um deus distante e inacessível, que não interfere no mundo dos homens. Não recebe culto, festa nem oferendas. Tudo aqui se resolve com os orixás. E com os santos.

O quadro de correspondência foi assim se completando, cada orixá com seu santo. Acima de todos, Oxalá, o Senhor do Bonfim, Jesus Cristo. Só faltava encontrar o equivalente ao Diabo. Não foi preciso procurar: Exu tinha tudo para ocupar o papel. Os africanos não conheciam a figura do diabo, e não separavam o bem do mal em campos opostos e irreconciliáveis como na tradição judaico-cristã. O bem e o mal andam juntos em cada coisa, em cada pessoa. Nessa cultura, Exu era tão somente o mensageiro dos orixás. Contudo, seu caráter de herói divino trapalhão, que gosta de brincar e confundir, que adora comer e beber sem limites, que cobra por seus favores, que não se vexa de exibir a própria genitália e induz à quebra das regras e à ruptura dos costumes, tudo isso, aos olhos dos primeiros cristãos que conheceram a religião dos orixás, ainda na África, fez de Exu um candidato natural ao posto de demônio. No sincretismo que mais tarde se constituiu no Brasil, seu lugar estava previamente demarcado. O orixá da transgressão, do movimento e da mudança foi posto no lugar do Diabo. Mas é um diabo alegre, domesticado, com o qual se pode negociar e conviver. Muitos o tratam com intimidade e o chamam de compadre. É assim também o Exu sincrético de Jorge Amado, que ocupa com Ogum o lugar central da trama de *O compadre de Ogum*.

Além dos santos e orixás, são intercambiados valores religiosos, devoções, práticas mágicas, milagres, promessas, obrigações. Tudo vai se misturando, seja de origem católica, seja de origem africana, configurando novos valores, símbolos e práticas que se ajustam a uma nova realidade social e cultural, afro-brasileira, bem ao gosto de Jorge Amado. A isso se chamou sincretismo afro-brasileiro. Matéria-prima de Jorge Amado em *O compadre de Ogum*, o sincretismo é trabalhado também em romances como *O sumiço da santa*, *Jubiabá* e *Tenda dos Milagres*.

Deuses habitantes do Orum, travestidos pelo sincretismo nas figuras dos santos católicos, os orixás foram, em tempos míticos, seres humanos que, por suas conquistas, realizações, liderança ou feitos miraculosos, tiveram a fama, o prestígio e o reconhecimento convertidos em divindade. Um dia humanos como nós, com seus problemas, desejos, aspirações, qualidades e defeitos de todo tipo, os deuses orixás ganharam poder no governo do mundo e em tudo que aqui acontece. Num modelo politeísta clássico, coube a cada um dirigir uma parte da natureza, da sociedade e da psicologia humana, numa verdadeira divisão do trabalho divino. Divinizados, os orixás não perderam seu lado humano, que compartilham com os mortais e que os faz até hoje se meterem em aventuras que envolvem igualmente homens e mulheres e os obriga a lançar mão de astúcia, de sedução, de variados artifícios nada divinos e até de artimanhas às vezes moralmente pouco recomendadas.

Esse é o gatilho para esta história de Jorge Amado, que é uma história da Salvador da segunda metade do século xx, cidade de negros e pobres, de trabalhadores e de homens e mulheres marginalizados, genuinamente católicos, cidade justaposta ao cotidiano dos terreiros de candomblé, onde valores e modos de agir de origem africana sobrevivem e extravasam na direção da cidade. O filho da prostituta; a madrinha cafetina; o pai trabalhador braçal e ogã de candomblé; o padre rigoroso nos costumes; a mãe de santo gorda, maternal e auxiliadora; os filhos de santo problemáticos mas prestativos; uma dezena de candidatos a padrinho de todo tipo, cor e ocupação – os personagens desenham a sociedade baiana multirracial e sincrética construída por Jorge Amado com o rigor de quem conhece e vive a realidade que reproduz e inventa.

De todos os livros de Jorge Amado, este é o mais escancaradamente feito de candomblé, ou para o candomblé. Que é também um candomblé de Jorge Amado. Quando foi escrito, a religião baiana dos orixás estava ainda longe do movimento de africanização que ganhou força a partir dos meados da década de 1960. Contemporâneo de outros movimentos que mudaram a feição da cultura brasileira, o movimento de africanização do candomblé, que também é um movimento de dessincretização, tem procurado uma reaproximação com a África em busca de valores e elementos rituais e míticos perdidos ao longo do processo de formação da religião no Brasil, ainda sob o escravismo ou suas consequências, e enfraquecidos e modificados pelo peso da Igreja católica, que se impunha como religião única e obrigatória sobretudo até o advento da República. Numa cultura em que a liberdade religiosa é uma das chaves do direito à diferença, o candomblé foi deixando de lado, pelo menos em setores mais dispostos à mudança, suas ligações sincréticas com o catolicismo. Os orixás foram perdendo sua identidade com santos católicos, e o candomblé se refazendo para dar lugar a uma religião mais independente da Igreja e autossuficiente.

Não é esse, evidentemente, o quadro mostrado por *O compadre de Ogum*. Tudo se passa numa época e segundo costumes em que os filhos de santo do candomblé são igualmente católicos. Seguem as duas religiões com igual devoção e a mesma sinceridade. O bom devoto dos orixás deve ser batizado na Igreja, onde também deve se casar, seguir os ritos principais e ter a alma encomendada na ocasião da morte. Mas não há simetria entre as duas religiões. Afinal, o candomblé é a religião tributária; o catolicismo, a dominante. O bom católico deve se manter distante dos terreiros; abominar suas crenças e entidades, consideradas do mal pela Igreja e pela sociedade branca, por sua imprensa e sua polícia; e deve evitar o contato com as supostas práticas de feitiçaria africana. Deveria. Dizem que nenhum católico verdadeiro jamais foi para o Inferno por recorrer ao jogo de búzios dos terreiros em momentos de aflição. Nem por se submeter aos banhos de ervas e ebós recomendados pelas mães e pais de santo. No dia a dia, a Igreja e seus sacerdotes sempre fizeram vistas grossas para a presença de seguidores do candomblé nos ritos católicos. Mesmo vestido acintosamente com as roupas próprias dos terreiros, o povo de santo costuma frequentar sem maior discriminação as igrejas católicas e suas cerimônias, sempre se mostrando católicos devotados. Nunca foi preciso disfarçar.

A Bahia de Jorge Amado é definitivamente moldada pela cultura sincrética constituída de catolicismo e candomblé, para ele duas faces inseparáveis de uma mesma realidade. Isso é explicitado numa passagem de *O compadre de Ogum*. Na dúvida quanto à escolha do padrinho entre vários candidatos, um personagem sugere que o menino seja batizado "no padre, no espírita, nas igrejas de crente de todo jeito [...]. Pra cada batizado, tu escolhia um padrinho...". Nenhum dos candidatos ficaria de fora, ninguém sairia melindrado por não ser escolhido. Mas o narrador se pergunta: "Que diabo iria o menino fazer pela vida afora com todas essas religiões, não ia ter tempo para nada, a correr de igreja para igreja. Bastava com o católico e o candomblé que, como todos sabem, se misturam e se entendem... Batizava no padre, amarrava o santo no terreiro. Para que mais?".

Jorge Amado contribuiu decisivamente com seus romances para a divulgação do candomblé pelo Brasil afora e além dele. Sua obra é fonte importante de legitimidade da religião dos orixás. Antes de seus livros, a dimensão humana de homens e mulheres que acreditam nos orixás e se dedicam a seu culto e ao cultivo da memória africana no Brasil era totalmente desconhecida dos brasileiros fora dos terreiros. O que se sabia vinha de fontes em geral preconceituosas e enganadoras. Ao lado de Jorge Amado se destacaram o fotógrafo e etnógrafo Pierre Fatumbi Verger, o sociólogo Roger Bastide e o artista plástico Carybé — três estrangeiros comprometidos com a valorização da cultura negra e empenhados em desvendar seu sentido poético, estético, sociológico e religioso. A familiaridade dos quatro com a religião dos orixás foi de grande valia na construção de suas inspiradas obras literárias, artísticas e científicas e lhes rendeu reconhecimento por parte do candomblé, que retribuiu com cargos honoríficos e dignidades que os terreiros usualmente conferem a protetores e amigos importantes. Outros nomes nacionais se juntaram aos deles: na música popular, Dorival Caymmi, Vinicius de Moraes, Baden Powell, Caetano Veloso, Gilberto Gil; no teatro, Dias Gomes; no cinema, Glauber Rocha; entre outros.

Jorge Amado é considerado pelo povo de santo como um dos seus. Recebeu de pai Procópio, do terreiro do Ogunjá, seu primeiro título no candomblé, o de ogã. No terreiro Axé Opô Afonjá, fundado nos primeiros anos do século xx pela mãe de santo Aninha Obabií (Eugênia Ana dos Santos), foi iniciado por mãe Senhora (Maria Bibiana do Espírito Santo) e ali ocupou uma das doze cadeiras do conselho dos Obás de Xangô. Jorge Amado, um filho de Oxóssi, orixá da caça, orgulhava-se dos postos que ocupava no candomblé e dizia ser um obá, ministro de Xangô, antes mesmo de ser um literato. Sua mulher, Zélia Gattai, era filha de Euá, orixá mãe das fontes. Na companhia do casal, celebridades internacionais de passagem por Salvador conheceram o candomblé. Fator de prestígio para uma religião que sempre teve que se defender do preconceito e da perseguição promovida, em tempos mais antigos, por gente da imprensa e da polícia e, mais recentemente, por religiões evangélicas concorrentes.

Ao longo de sua obra, Jorge Amado faz diversas referências a sacerdotes, filhos de santo e dignitários do Axé Opô Afonjá e de outros terreiros da Bahia. Não por acaso, mãe Doninha, ialorixá do negro Massu, que o ajuda na solução do caso do batizado, "Era uma negra de seus sessenta anos, gorda e pausada, seios imensos, olhos vivos". Os traços se ajustam perfeitamente aos de mãe Senhora. A descrição do terreiro ficcional também poderia ser a de seu terreiro Axé Opô Afonjá, localizado em São Gonçalo do Retiro: "No outro dia, pela tarde, tocou-se Massu para o alto do Retiro, onde ficava o terreiro de Doninha. Era um dos maiores axés da cidade, roça enorme, com várias casas de santo, casas para as filhas e para as irmãs de santo, para os hóspedes, um grande barracão para as festas, a casa dos eguns e a pequena casa de Exu, próxima à entrada".

Nesse terreiro Massu procura sua mãe de santo para ajudá-lo na difícil escolha do padrinho. Mãe Doninha recorre aos orixás, e Ogum se apresenta em socorro a seu filho Massu. Começam os trabalhos propiciatórios. Ritos e prescrições sacrificiais conduzidos com sabedoria por mãe Doninha são descritos com pormenores que facilmente escapariam a um não iniciado. Animais votivos são abatidos, comidas são preparadas com suas carnes, oferendas providenciadas de acordo com os fundamentos da religião africana. Para fortalecer a cabeça de Massu, às vésperas da grande decisão, não falta o bori, cerimônia de oferenda à cabeça. "Devia o negro trazer dois galos e cinco pombos além de uma travessa de acarajés e abarás para dar comida à sua cabeça." Mas Massu não tem que escolher. Ogum decide quem seria o padrinho. Uma deliberação em causa própria. Ele mesmo, Ogum, batizaria o menino na igreja. Pelo favor, a mãe de santo oferece ao orixá um bode, animal de sua predileção.

Não se esquece de Exu, que receberia sua porção de padê, sua farofa de dendê acompanhada de aguardente e água fresca. Exu é o senhor dos movimentos e nada acontece sem sua intervenção. Por isso ele come primeiro, antes dos outros orixás, para que abra os caminhos e libere as forças a serem postas em movimento pela ação do orixá encarregado da tarefa, no caso presente, Ogum, a quem cabia resolver o problema da escolha do padrinho do menino. Para reforçar o agrado a Exu, mãe Doninha manda que, logo de madrugada, antes da oferta do padê, lhe seja sacrificada uma galinha-d'angola. "Para ele não vir perturbar a festa." Por alguma razão, a galinha-d'angola escapa durante a noite, e a mãe de santo se vê obrigada a substituí-la por três pombas. Mas fica a dúvida: Exu aceitaria a troca?

A partir daí, a história se transforma rapidamente numa disputa dura e engraçada entre Ogum, o futuro padrinho do menino, e seu irmão Exu. Ogum não gosta de ser contrariado, "orixá dos metais, suas decisões são inflexíveis, sua espada é de fogo". Ele seria o padrinho, e o assunto está encerrado. Mas Exu, o mensageiro, o orixá do movimento, dos caminhos, "moleque e sem juízo", um gaiato, um gozador que adora pregar peças, resolve entrar no jogo. Provavelmente para se vingar de não ter recebido a galinha-d'angola prometida, que ele mesmo, emblematicamente, teria tratado de soltar na escuridão da madrugada. Mais uma de suas estrepolias, entre "Tantas e quantas já fizera a ponto de ser confundido com o diabo". Está armada a peleja entre Ogum ou santo Antônio, o santo guerreiro protetor da cidade, e Exu, que "gente sem grandes conhecimentos" do candomblé confunde com o demônio católico.

A disputa só se resolve na igreja, no dia do batizado. É quando entra em cena o padre Gomes, mulato pouco afeito ao candomblé e que o despreza, mas cuja mãe fora uma filha de santo do terreiro da Casa Branca do Engenho Velho, o mais antigo candomblé do Brasil, e cujo avô fora obá de Xangô. Para evitar constrangimentos, a mãe abandonou o candomblé quando o filho foi ordenado padre, mas a herança religiosa nunca se anulou. Quem entra no candomblé não sai, diz a lei do santo. E o que vem junto em certas circunstâncias se separa para depois se juntar de novo. A carreira de padre Gomes na Igreja representa sem dúvida a negação de suas origens no candomblé, marca de família, indelével. Mas as coisas não terminam assim. Ser da Igreja e ser do orixá acaba dando no mesmo, queira padre Gomes ou não. O sincretismo triunfa mais uma vez.

O batizado do menino louro, de olhos cor do céu, filho de pai negro, transforma-se num grande acontecimento social, e a igreja do Rosário, no Pelourinho, reúne gente de todas as classes sociais, origens raciais e étnicas, credos religiosos, profissões e ocupações. Até personagens reais de Salvador, amigos de Jorge Amado, participam dos diferentes momentos passados no terreiro, na igreja, nas ruas e praças da cidade. Vem gente de toda parte e por todo meio de transporte. "Três marinetes cheias de operários decidiram pelo feriado, em rápida assembleia, e vieram para a festa." Mas nada se resolve sem que antes chegue a um desfecho a contenda entre

Ogum e Exu. Importantíssima é a participação de padre Gomes, Antônio na bia batismal, reconhecido por Ogum como um de seus legítimos descendentes.

Algum leitor pode imaginar tratar-se a história de um exagero próprio da fantasia literária, mas não é. Porque assim é a Bahia de Jorge Amado, assim é a cidade que se fez seu personagem repetidas vezes: cidade mística, festeira, de uma gente que sabe que o bom da vida é viver, e viver bem. Que compartilha com os santos-orixás suas alegrias e tristezas, sua comida e sua bebida. Que toca seus tambores, canta e dança para os deuses e que acredita que pode contar com eles para enfrentar cada dificuldade encontrada no caminho. Jorge Amado conta sua história só para distrair e não pretende ensinar nada a ninguém. Mas quem nunca soube o que é o candomblé, quem nunca entendeu o sincretismo, quem nunca foi à Bahia, depois da leitura de *O compadre de Ogum* dificilmente poderá continuar alegando ignorância no assunto.

Reginaldo Prandi é escritor e professor de sociologia na Universidade de São Paulo.

CRONOLOGIA

O enredo de *O compadre de Ogum* parece se passar entre 1940 e 1960. O bonde, utilizado pelos personagens, foi popular em Salvador de 1910 a 1955. O cabaré *Tabaris*, onde o negro Massu bebe, funcionou de 1934 a 1968. O jornalista e filantropo Cosme de Faria, que, no livro, liberta Massu da prisão, faleceu em 1963. E a escola de capoeira de mestre Pastinha, que também aparece no livro, foi criada em 1941.

1912-1919 Jorge Amado nasce em 10 de agosto de 1912, em Itabuna, Bahia. Em 1914, seus pais transferem-se para Ilhéus, onde ele estuda as primeiras letras. Entre 1914 e 1918, trava-se na Europa a Primeira Guerra Mundial. Em 1917, eclode na Rússia a revolução que levaria os comunistas, liderados por Lênin, ao poder.

1920-1925 A Semana de Arte Moderna, em 1922, reúne em São Paulo artistas como Heitor Villa-Lobos, Tarsila do Amaral, Mário e Oswald de Andrade. No mesmo ano, Benito Mussolini é chamado a formar governo na Itália. Na Bahia, em 1923, Jorge Amado escreve uma redação escolar intitulada "O mar"; impressionado, seu professor, o padre Luiz Gonzaga Cabral, passa a lhe emprestar livros de autores portugueses e também de Jonathan Swift, Charles Dickens e Walter Scott. Em 1925, Jorge Amado foge do colégio interno Antônio Vieira, em Salvador, e percorre o sertão baiano rumo à casa do avô paterno, em Sergipe, onde passa "dois meses de maravilhosa vagabundagem".

1926-1930 Em 1926, o Congresso Regionalista, encabeçado por Gilberto Freyre, condena o modernismo paulista por "imitar inovações estrangeiras". Em 1927, ainda aluno do Ginásio Ipiranga, em Salvador, Jorge Amado começa a trabalhar como repórter policial para o *Diário da Bahia* e *O Imparcial* e publica em *A Luva*, revista de Salvador, o texto "Poema ou prosa". Em 1928, José Américo de Almeida lança *A bagaceira*, marco da ficção regionalista do Nordeste, um livro no qual, segundo Jorge Amado, se "falava da realidade rural como ninguém fizera antes". Jorge Amado integra a Academia dos Rebeldes, grupo a favor de "uma arte moderna sem ser modernista". A quebra da bolsa de valores de Nova York, em 1929, catalisa o declínio do ciclo do café no Brasil. Ainda em 1929, Jorge Amado, sob o pseudônimo Y. Karl, publica em *O Jornal* a novela *Lenita*, escrita em parceria com Edson Carneiro e Dias da Costa. O Brasil vê chegar ao fim a política do café com leite, que alternava na presidência da República políticos de São Paulo e Minas Gerais: a Revolução de 1930 destitui Washington Luís e nomeia Getúlio Vargas presidente.

1931-1935 Em 1932, desata-se em São Paulo a Revolução Constitucionalista. Em 1933, Adolf Hitler assume o poder na Alemanha, e Franklin Delano Roosevelt torna-se presidente dos Estados Unidos da América, cargo para o qual seria reeleito em 1936, 1940 e 1944. Ainda em 1933, Jorge Amado se casa com Matilde Garcia Rosa. Em 1934, Getúlio Vargas é eleito por voto indireto presidente da República. De 1931 a 1935, Jorge Amado frequenta a Faculdade Nacional de Direito, no Rio de Janeiro; formado, nunca exercerá a advocacia. Amado identifica-se com o Movimento de 30, do qual faziam parte José Américo de Almeida, Rachel de Queiroz e Graciliano Ramos, entre outros escritores preocupados com questões sociais e com a valorização de particularidades regionais. Em 1933, Gilberto Freyre publica *Casa-grande & senzala*, que marca profundamente a visão de mundo de Jorge Amado. O romancista baiano publica seus primeiros livros: *O país do Carnaval* (1931), *Cacau* (1933) e *Suor* (1934). Em 1935 nasce sua filha Eulália Dalila.

1936-1940 Em 1936, militares rebelam-se contra o governo republicano espanhol e dão início, sob o comando de Francisco Franco, a uma guerra civil que se alongará até 1939. Jorge Amado enfrenta problemas por sua filiação ao Partido Comunista Brasileiro. São dessa época seus livros *Jubiabá* (1935), *Mar morto* (1936) e *Capitães da Areia* (1937). É preso em 1936, acusado de ter participado, um ano antes, da Intentona Comunista, e novamente em 1937, após a instalação do Estado Novo. Em Salvador, seus livros são queimados em praça pública. Em setembro de 1939, as tropas alemãs invadem a Polônia e tem início a Segunda Guerra Mundial. Em 1940, Paris é ocupada pelo Exército alemão. No mesmo ano, Winston Churchill torna-se primeiro-ministro da Grã-Bretanha.

1941-1945 Em 1941, em pleno Estado Novo, Jorge Amado viaja à Argentina e ao Uruguai, onde pesquisa a vida de Luís Carlos Prestes para escrever a biografia publicada em Buenos Aires, em 1942, sob o título *A vida de Luís Carlos Prestes* rebatizada mais tarde *O Cavaleiro da Esperança*. De volta ao Brasil, é preso pela terceira vez e enviado a Salvador, sob vigilância. Em junho de 1941, os alemães invadem a União Soviética. Em dezembro, os japoneses bombardeiam a base norte-americana de Pearl Harbor, e os Estados Unidos declaram guerra aos países do Eixo. Em 1942, o Brasil entra na Segunda Guerra Mundial, ao lado dos aliados. Jorge Amado colabora na *Folha da Manhã*, de São Paulo, torna-se chefe de redação do diário *Hoje*, do PCB, e secretário do Instituto Cultural Brasil-União Soviética. No final desse mesmo ano, volta a colaborar em *O Imparcial*, assinando a coluna "Hora da Guerra", e em 1943 publica, após seis anos de proibição de suas obras, *Terras do sem--fim*. Em 1944, Jorge Amado lança *São Jorge dos Ilhéus*. Separa-se de Matilde Garcia Rosa. Chegam ao fim, em 1945, a Segunda Guerra Mundial e o Estado Novo, com a deposição de Getúlio Vargas. Nesse mesmo ano, Jorge Amado casa-se com a paulistana Zélia Gattai, é eleito deputado federal pelo PCB e publica o guia *Bahia de Todos-os-Santos*. *Terras do sem-fim* é publicado pela editora de Alfred A. Knopf, em Nova York, selando o início de uma amizade com a família Knopf que projetaria sua obra no mundo todo.

1946-1950 Em 1946, Jorge Amado publica *Seara vermelha*. Como deputado, propõe leis que asseguram a liberdade de culto religioso e fortalecem os direitos autorais. Em 1947, seu mandato de deputado é cassado, pouco depois de o PCB ser posto na ilegalidade. No mesmo ano, nasce no Rio de Janeiro João Jorge, o primeiro filho com Zélia Gattai. Em 1948, devido à perseguição política, Jorge Amado exila-se, sozinho, voluntariamente em Paris. Sua casa no Rio de Janeiro é invadida pela polícia, que apreende livros, fotos e documentos. Zélia e João Jorge partem para a Europa, a fim de se juntar ao escritor. Em 1950, morre no Rio de Janeiro a filha mais velha de Jorge Amado, Eulália Dalila. No mesmo ano, Amado e sua família são expulsos da França por causa de sua militância política e passam a residir no castelo da União dos Escritores, na Tchecoslováquia. Viajam pela União Soviética e pela Europa Central, estreitando laços com os regimes socialistas.

1951-1955 Em 1951, Getúlio Vargas volta à presidência, desta vez por eleições diretas. No mesmo ano, Jorge Amado recebe o prêmio Stálin, em Moscou. Nasce sua filha Paloma, em Praga. Em 1952, Jorge Amado volta ao Brasil, fixando-se no Rio de Janeiro. O escritor e seus livros são proibidos de entrar nos Estados Unidos durante o período do macarthismo. Em 1954, Getúlio Vargas se suicida. No mesmo ano, Jorge Amado é eleito presidente da Associação Brasileira de Escritores e publica *Os subterrâneos da liberdade*. Afasta-se da militância comunista.

1956-1960 Em 1956, Juscelino Kubitschek assume a presidência da República. Em fevereiro, Nikita Khruchióv denuncia Stálin no 20º Congresso do Partido Comunista da União Soviética. Jorge Amado se desliga do PCB. Em 1957, a União Soviética lança ao espaço o primeiro satélite artificial, o *Sputnik*. Surge, na música popular, a Bossa Nova, com João Gilberto, Nara Leão, Antonio Carlos Jobim e Vinicius de Moraes. A publicação de *Gabriela, cravo e canela*, em 1958, rende vários prêmios ao escritor. O romance inaugura uma nova fase na obra de Jorge Amado, pautada pela discussão da mestiçagem e do sincretismo. Em 1959, começa a Guerra do Vietnã. Jorge Amado recebe o título de obá Arolu no Axé Opô Afonjá. Embora fosse um "materialista convicto", admirava o candomblé, que considerava uma religião "alegre e sem pecado". Em 1960, inaugura-se a nova capital federal, Brasília.

1961-1965 Em 1961, Jânio Quadros assume a presidência do Brasil, mas renuncia em agosto, sendo sucedido por João Goulart. Yuri Gagarin realiza na nave espacial *Vostok* o primeiro voo orbital tripulado em torno da Terra. Jorge Amado vende os direitos de filmagem de *Gabriela, cravo e canela* para a Metro-Goldwyn-Mayer, o que lhe permite construir a casa do Rio Vermelho, em Salvador, onde residirá com a família de 1963 até sua morte. Ainda em 1961, é eleito para a cadeira 23 da Academia Brasileira de Letras. No mesmo ano, publica Os velhos marinheiros, composto pela novela A morte e a morte de Quincas Berro Dágua e pelo romance O capitão-de-longo-curso. Em 1963, o presidente dos Estados Unidos, John Kennedy, é assassinado. O Cinema Novo retrata a realidade nordestina em filmes como Vidas secas (1963), de Nelson Pereira dos Santos, e Deus e o diabo na terra do sol (1964), de Glauber Rocha. Em 1964, João Goulart é destituído por um golpe e Humberto Castelo Branco assume a presidência da República, dando início a uma ditadura militar que irá durar duas décadas. No mesmo ano, Jorge Amado publica Os pastores da noite.

1966-1970 Em 1968, o Ato Institucional nº 5 restringe as liberdades civis e a vida política. Em Paris, estudantes e jovens operários levantam-se nas ruas sob o lema "É proibido proibir!". Na Bahia, floresce, na música popular, o tropicalismo, encabeçado por Caetano Veloso, Gilberto Gil, Torquato Neto e Tom Zé. Em 1966, Jorge Amado publica Dona Flor e seus dois maridos e, em 1969, Tenda dos Milagres. Nesse último ano, o astronauta norte-americano Neil Armstrong torna-se o primeiro homem a pisar na Lua.

1971-1975 Em 1971, Jorge Amado é convidado a acompanhar um curso sobre sua obra na Universidade da Pensilvânia, nos Estados Unidos. Em 1972, publica Tereza Batista cansada de guerra e é homenageado pela Escola de Samba Lins Imperial, de São Paulo, que desfila com o tema "Bahia de Jorge Amado". Em 1973, a rápida subida do preço do petróleo abala a economia mundial. Em 1975, Gabriela, cravo e canela inspira novela da TV Globo, com Sônia Braga no papel principal, e estreia o filme Os pastores da noite, dirigido por Marcel Camus.

1976-1980 Em 1977, Jorge Amado recebe o título de sócio benemérito do Afoxé Filhos de Gandhy, em Salvador. Nesse mesmo ano, estreia o filme de Nelson Pereira dos Santos inspirado em Tenda dos Milagres. Em 1978, o presidente Ernesto Geisel anula o AI-5 e reinstaura o habeas corpus. Em 1979, o presidente João Baptista Figueiredo anistia os presos e exilados políticos e restabelece o pluripartidarismo. Ainda em 1979, estreia o longa-metragem Dona Flor e seus dois maridos, dirigido por Bruno Barreto. São dessa época os livros Tieta do Agreste (1977), Farda, fardão, camisola de dormir (1979) e O gato malhado e a andorinha Sinhá (1976), escrito em 1948, em Paris, como um presente para o filho.

1981-1985 A partir de 1983, Jorge Amado e Zélia Gattai passam a morar uma parte do ano em Paris e outra no Brasil — o outono parisiense é a estação do ano preferida por Jorge Amado, e, na Bahia, ele não consegue mais encontrar a tranquilidade de que necessita para escrever. Cresce no Brasil o movimento das Diretas Já. Em 1984, Jorge Amado publica Tocaia Grande. Em 1985, Tancredo Neves é eleito presidente do Brasil, por votação indireta, mas morre antes de tomar posse. Assume a presidência José Sarney.

1986-1990 Em 1987, é inaugurada em Salvador a Fundação Casa de Jorge Amado, marcando o início de uma grande reforma do Pelourinho. Em 1988, a Escola de Samba Vai-Vai é campeã do Carnaval, em São Paulo, com o enredo "Amado Jorge: A história de uma raça brasileira". No mesmo ano, é promulgada nova Constituição brasileira. Jorge Amado publica *O sumiço da santa*. Em 1989, cai o Muro de Berlim.

1991-1995 Em 1992, Fernando Collor de Mello, o primeiro presidente eleito por voto direto depois de 1964, renuncia ao cargo durante um processo de *impeachment*. Itamar Franco assume a presidência. No mesmo ano, dissolve-se a União Soviética. Jorge Amado preside o 14º Festival Cultural de Asylah, no Marrocos, intitulado "Mestiçagem, o exemplo do Brasil", e participa do Fórum Mundial das Artes, em Veneza. Em 1992, lança dois livros: *Navegação de cabotagem* e *A descoberta da América pelos turcos*. Em 1994, depois de vencer as Copas de 1958, 1962 e 1970, o Brasil é tetracampeão de futebol. Em 1995, Fernando Henrique Cardoso assume a presidência da República, para a qual seria reeleito em 1998. No mesmo ano, Jorge Amado recebe o prêmio Camões.

1996-2000 Em 1996, alguns anos depois de um enfarte e da perda da visão central, Jorge Amado sofre um edema pulmonar em Paris. Em 1998, é o convidado de honra do 18º Salão do Livro de Paris, cujo tema é o Brasil, e recebe o título de doutor *honoris causa* da Sorbonne Nouvelle e da Universidade Moderna de Lisboa. Em Salvador, termina a fase principal de restauração do Pelourinho, cujas praças e largos recebem nomes de personagens de Jorge Amado.

2001 Após sucessivas internações, Jorge Amado morre em 6 de agosto de 2001.

Esta obra foi composta pela
Máquina Estúdio em Janson e Scala Sans
e impressa pela Lis Gráfica em ofsete
sobre papel pólen bold da Suzano S.A.
para a Editora Schwarcz em julho de 2021.

A marca FSC® é a garantia de que a madeira utilizada na fabricação do papel deste livro provém de florestas que foram gerenciadas de maneira ambientalmente correta, socialmente justa e economicamente viável, além de outras fontes de origem controlada.